A guerra de Clara

2ª edição, 2014
1ª reimpressão, 2021

TEXTO ADEQUADO ÀS NOVAS REGRAS DO ACORDO ORTOGRÁFICO DA LÍNGUA PORTUGUESA

Coordenação editorial: Miriam Gabbai
Preparação de texto: Ricardo N. Barreiros
Tradutor: Bárbara Menezes
Revisão: Maria Christina Azevedo
Projeto gráfico e diagramação: Idenize Alves
Capa: Thiago Nieri
Foto de capa: Dreamstime

CIP-BRASIL. CATALOGAÇÃO-NA-FONTE
SINDICATO NACIONAL DOS EDITORES DE LIVROS, RJ

K13g

Kacer, Kathy, 1954-

A guerra de Clara / Kathy Kacer ; [tradução Bárbara Menezes]. - 2.ed. - São Paulo : Callis, 2014.

164p. : 23 cm

Tradução de: *Clara's war*

ISBN 978-85-7416-952-1

1. Crianças judias no holocausto - Ficção infantojuvenil. 2. Theresienstadt (campo de concentração) - Ficção infantojuvenil. 3. Guetos judeus - Ficção infantojuvenil. 4. Literatura infantojuvenil canadense. I. Menezes, Bárbara. II. Título.

CDD: 940.5318

CDU: 94(100) "1939/1945"

ISBN 978-85-7416-952-1
ESTE LIVRO CONTOU COM O APOIO DO CONSELHO CANADENSE PARA AS ARTES

Impresso no Brasil

2021
Callis Editora Ltda.
Rua Oscar Freire, 379, 6º andar • 01426-001 • São Paulo • SP
Tel.: 11 3068-5600 • Fax: 11 3088-3133
www.callis.com.br • vendas@callis.com.br

Kathy Kacer

Tradução:
Bárbara Menezes

A guerra de Clara

callis

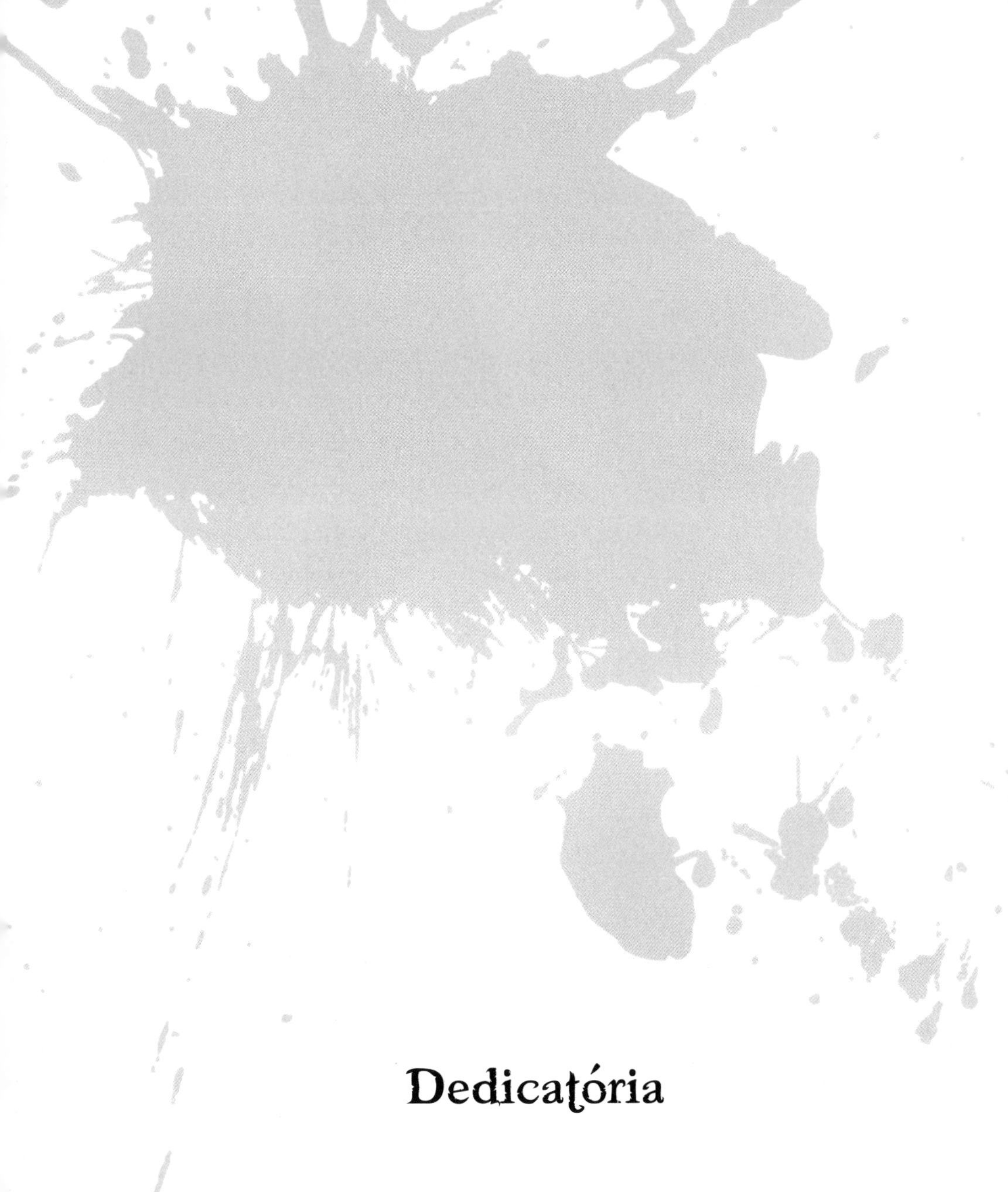

Dedicatória

Em memória do meu pai, Arthur Kacer, um homem cheio de orgulho, gentileza e esperança

Para meus filhos, Gabi e Jake, que eles possam contribuir para um mundo com amor e paz

Agradecimentos

Este livro não seria possível sem a ajuda de John Freund, ele próprio um sobrevivente de Terezin e, posteriormente, de Auschwitz. Ele gentilmente leu diversas versões deste livro e ajudou a garantir um contexto histórico autêntico. Compartilhou comigo incontáveis histórias sobre sua vida em Terezin, além de fotografias e livros. John dedica sua vida a promover a memória de Terezin e a ajudar a manter a ópera *Brundibár* viva. É um privilégio chamá-lo de amigo.

Agradeço também a Helena Fine e Sheila Koffman por lerem o manuscrito e contribuírem com suas opiniões.

Tirei informações sobre Terezin de outras fontes, inclusive dos livros *We Are Children Just the Same: Vedem, The Secret Magazine by the Boys of Terezin*, editado por Paul Wilson, e *Theresienstadt: The Town the Nazis Gave to the Jews*, por Vera Schiff. Esses livros ofereceram informações valiosas sobre o dia a dia no gueto.

Estou em dívida com Margie Wolfe, da Second Story Press, por seu constante apoio aos meus livros, e com a Terra Page, por sua diligência na produção deste livro.

Meus mais calorosos agradecimentos a Sarah Silberstein Swartz por suas valiosas opiniões como editora e também pelo seu encorajamento e sua orientação.

Serei sempre grata pelo amor e apoio de meu marido, Ian Epstein, e meus filhos, Gabi e Jake. O entusiasmo e fé deles em meus livros são uma constante fonte de inspiração.

PREFÁCIO

Em 1780, o Imperador José II construiu um forte ao qual deu o nome de sua mãe, Maria Teresa. Ele ficava em uma cidade nas montanhas da Boêmia (em um território depois chamado de Tchecoslováquia e, atualmente, de República Tcheca), a noroeste de Praga. Os tchecos deram à cidade o nome de "Terezin". O forte havia sido construído para proteger Praga de invasores vindos do norte. No entanto, em 1939, pouco depois do início da Segunda Guerra Mundial, as tropas alemãs invadiram a parte ocidental da Tchecoslováquia e o território, inclusive Terezin, foi ocupado pela Alemanha.

Em outubro de 1941, Terezin virou "Theresienstadt", um campo de concentração que os nazistas chamavam de "gueto" para os judeus. A finalidade dele era servir como alojamento temporário para os judeus, antes de mandá-los para Auschwitz e outros campos de extermínio. Terezin ficava isolado do resto do país e podia ser facilmente vigiado. Era, portanto, um lugar ideal para aprisionar judeus. O mundo foi levado a acreditar que Terezin era um "presente" de Hitler para a comunidade judaica, um lugar onde as condições eram, em geral, boas e onde os judeus estavam sendo protegidos do sofrimento da guerra. Os nazistas criaram uma elaborada campanha de propaganda para desviar a atenção das pessoas do extermínio sistemático de judeus. A distração funcionou. Embora existam relatos diferentes sobre o número exato de pessoas que foram levadas a Terezin, estima-se que mais de 97.000 judeus tchecos, que estavam lá, morreram ou foram eventualmente deportados para outros campos de trabalho e extermínio. Desse número, 15.000 eram crianças. São conhecidas apenas 132 crianças sobreviventes. As condições de vida em Terezin eram apavorantes.

Os habitantes conviviam com a fome, as doenças, a lotação extrema, a sujeira e o medo constante de deportações para o leste, cujos destinos eram os campos de extermínio. Regras, que eram divulgadas diariamente, restringiam a vida dos prisioneiros. Homens e mulheres foram separados. Crianças foram mantidas longe de seus pais. O contato entre adultos era proibido. Cartas foram banidas. Os habitantes podiam ser espancados, enforcados ou deportados por não cumprirem essas e muitas outras regras.

O gueto era administrado dia a dia pelo Conselho de Anciãos Judeus, um comitê de judeus indicado pelos nazistas. Ele organizava os grupos de trabalho, as cozinhas, as unidades de saúde e os dormitórios. Também tinha a terrível tarefa de selecionar os judeus que seriam deportados para o leste, visando dar espaço aos judeus que chegavam ao gueto quase todos os dias. O Conselho era controlado pelos guardas tchecos, que patrulhavam o gueto. A maior autoridade do campo era o comandante nazista e suas tropas. Embora os nazistas só aparecessem em Terezin periodicamente, eram temidos por todos.

Em meio a essas condições ameaçadoras, alguns eventos incríveis aconteceram. Música, arte, teatro e outras apresentações culturais aconteceram em Terezin, inspiradas por músicos e artistas talentosos e outras pessoas proeminentes que estavam presas lá. Os nazistas permitiam esses eventos culturais porque eram mais uma maneira de distrair os judeus do seu provável destino. As atividades davam aos prisioneiros uma falsa esperança de sobreviverem. Além disso, os nazistas realmente gostavam dessas apresentações culturais e iam assistir a elas.

Esse é o cenário de *A guerra de Clara*, um lugar de medo e incerteza constante para os jovens naquele tempo. Mas, dessa tragédia, vieram a fé e a coragem. *A guerra de Clara* une o horror e a esperança que eram a realidade de Terezin.

1

SAINDO DE CASA

Clara agarrou o braço do seu irmão e o puxou pela rua, sabendo que a caminhada do centro da cidade para casa podia ser perigosa.

— Vamos, Peter, você tem que andar mais rápido.

Parecia, para Clara, que ela sempre tinha a tarefa de cuidar do seu irmão mais novo. Na maior parte do tempo, não se importava com isso, mas, em momentos como aquele, quando Peter ficava fazendo manha, ela detestava cada minuto. Já era bastante ruim seus pais terem mandado Peter com ela para pegar novos cupons de comida. As filas no prédio do governo, na principal rua de Praga, eram muito longas e as pessoas tinham de ser rápidas para chegarem até a frente. Sempre havia o perigo de soldados ou provocadores aparecerem, querendo causar problemas. Um grupo de judeus formando fila para pegar documentos era exatamente o que buscavam.

— É melhor vocês irem em dupla — papai havia dito. — Assim, um pode cuidar do outro.

Clara sabia que isso significava que ela tinha de cuidar de Peter. Pela centésima vez, Clara colocou a mão no bolso para certificar-se de que os cupons de comida ainda estavam lá e tirou um para olhar. Eles eram os salva-vidas de sua família, mais preciosos, naqueles dias, do que quase qualquer outra coisa. O cupom tinha o carimbo com a data do dia, 12 de março de 1943. Esses cupons durariam cerca de duas semanas e, depois, Clara teria de entrar na fila de novo. Talvez, na próxima vez, escapasse sem o Peter.

— Peter, se você não andar mais rápido, vou deixá-lo aqui e os guardas nazistas vão encontrá-lo e prendê-lo.

Quem ela queria enganar? De jeito nenhum deixaria seu irmão de onze anos nas ruas de Praga.

Peter levava a cabeça baixa e arrastava os pés e Clara olhou para ele frustrada. Ele era pequeno para a sua idade, muito magro e ossudo e tinha grandes olhos verdes, que frequentemente traziam um olhar incerto e até triste. Peter sempre fora um menino quieto, não se parecia em nada com Clara, que, com treze anos, nunca ficava sem ter o que falar. Os pais dela sempre se espantavam com o quanto seus filhos eram diferentes. Clara era curiosa e despreocupada e Peter, tão sério e retraído. Até a aparência dos dois era notavelmente diferente, como se viessem de duas famílias distintas. Peter era pálido e loiro, ao passo que os cachos castanhos de Clara combinavam com seus olhos escuros e vivos. E havia a questão do temperamento de Peter. Ele explodia quando ninguém esperava e depois se acalmava com a mesma rapidez. Peter era "complicado", era assim que a família o descrevia.

— Se pegássemos um pouco de você e um pouco de Peter, pense na criança perfeita que teríamos — papai às vezes brincava.

Clara não se importava com a provocação. Ela gostava de ser como era, tão sincera e direta com tudo. Ela não gostaria de ser séria e quieta. Deixe isso para o Peter, ela pensava, agarrando o braço dele e arrastando-o pela rua.

Clara havia percorrido esse caminho de ida e volta para o centro da cidade centenas... não, talvez milhares de vezes. Ela conhecia os prédios sem ter que olhar para cima. Primeiramente, havia a escola pública na esquina. Mais de três anos se haviam passado desde que Clara e outras crianças judias foram proibidas de frequentar a escola pública em Praga, fazia três anos que não podia ter contato com seus amigos cristãos. E, embora ela ainda pudesse ver seus amigos judeus na escola judaica que frequentava então, Clara se perguntava por quanto tempo isso iria durar. Seus antigos colegas da escola pública provavelmente estavam estudando Matemática agora, ou talvez História, Clara pensou. De uma janela do segundo andar vieram sons da orquestra de cordas afinando os instrumentos, ensaiando para uma reunião da escola ou um futuro concerto. No campinho, alguns alunos estavam correndo, como parte da aula de ginástica.

Depois da escola, ficava a sinagoga, deserta naquele momento, mas que fora no passado o próspero centro da vida religiosa da sua família. Naquele dia, a porta estava fechada com tábuas e, na parede da frente, alguém havia pintado as palavras FORA JUDEUS em letras maiúsculas. Perto da sinagoga, existia um parque. Quantas vezes Clara fugiu das cerimônias no sábado de manhã para passear com os amigos no parque? Lá estava o grande carvalho com seu tronco repartido na base. Todos os anos, os pais de Clara tiravam fotos dela e de Peter sentados naquela árvore; sempre diziam que era um lugar que implorava para sair em fotografias. A coleção de fotos no álbum da família era como um registro do quanto eles haviam crescido e mudado ao longo dos anos. Porém, o parque estava proibido para todos os judeus.

Até as lojas, tão familiares e convidativas no passado, apenas deixavam Clara deprimida quando passava por lá. A padaria da senhora Klein, onde Clara e seus amigos compravam rosquinhas doces pelo menos uma vez por semana, estava fechada. O mesmo aconteceu com o açougue, que pertencera ao senhor Kaufman, onde todas as famílias judias compravam sua comida *kosher*, preparada de acordo com as leis judaicas. As leis nazistas, que proibiam judeus de terem qualquer negócio, haviam forçado esses proprietários a fecharem suas lojas. Além disso, para que servia uma loja se ninguém comprava nada? As outras lojas, a floricultura, a doceria, a loja de tecidos, ainda estavam abertas, mas o aviso nas portas era inconfundível: É PROIBIDA A ENTRADA DE JUDEUS!

Clara sentia falta da doceria mais do que das outras lojas. A senhora Shebek costumava dar doces para todas as crianças quando elas voltavam da escola.

— Docinhos para docinhos — ela dizia.

Depois, passou a nem olhar mais para Clara quando ela andava por ali.

A vida mudara drasticamente para a sua família e todos os judeus que viviam em Praga, desde que o exército nazista havia ocupado a cidade, em 15 de março de 1939. Houve uma época em que andar pela rua era divertido e ir ao centro da cidade, uma aventura. Mas esse tempo parecia um passado muito distante. Quatro anos antes, o Pacto de Munique havia sido assinado, entregando a parte ocidental da Tchecoslováquia para a Alemanha e o Partido Nazista, que estava no comando e era liderado por Adolf Hitler. Apesar do pacto, a guerra na Europa havia começado em 1939, quando a Alemanha invadiu a Polônia, a nordeste da Tchecoslováquia. Hitler era um líder brutal e sem coração, que odiava judeus e queria puni-los por tudo de ruim que havia acontecido ao povo alemão. Os judeus estavam sendo falsamente acusados pelos negócios que iam mal, pela pobreza e pela falta de empregos. Desde a invasão da Polônia, as regras e restrições contra os judeus nos territórios ocupados pela Alemanha se multiplicavam quase diariamente.

O pai de Clara, médico respeitado, havia sido despedido do cargo em um hospital próximo, mais ou menos na mesma época em que Clara parou de ir à escola pública. Por sorte, o pai dela ainda podia trabalhar, por ora, na clínica judaica. Clara e os outros usavam distintivos amarelos no formato da estrela de Davi para serem identificados como judeus. Depois que alguém passava a usar a estrela, vizinhos cristãos, como a senhora Novak, paravam de falar com a pessoa. Eles temiam pela sua própria segurança. Na semana anterior, Clara havia visto o senhor Novak ajudar um velho judeu que estava sendo incomodado por um grupo de jovens valentões. A polícia chegou e prendeu o senhor Novak e o velho judeu. Líderes judeus importantes eram regularmente presos e levados para longe, ninguém sabia para onde. Famílias judias eram obrigadas a entregar seus pertences, como casacos de pele, joias, tecidos e peças de prata, para as autoridades. Cada vez que uma dessas novas leis aparecia, Clara fortalecia-se pensando que, com certeza, seria a última. Seus pais sempre tentavam garantir a ela que não poderia ficar pior, mas, todas as vezes, piorava.

— Só mais um quarteirão e estaremos em casa — Clara disse enquanto, instintivamente, colocava o braço em torno do irmão.

Ele encolheu os ombros, se afastou dela e correu para casa. "*Agora* ele está correndo", Clara pensou ao disparar para segui-lo. Eles dobraram a esquina correndo, competindo para ver quem seria o primeiro a entrar no prédio onde moravam. "Ele pode ser pequeno", Clara pensou, "mas quando quer, consegue ser bem rápido!". Peter abriu o grande portão de ferro e subiu dois degraus da escada de cada vez, com Clara logo atrás dele.

No momento em que Clara entrou no apartamento, soube que algo estava errado. Seus pais estavam parados, em silêncio, na sala de estar, perto da porta de entrada. Juntos, olhavam uma folha de papel nas mãos do pai de Clara.

— O que é isso, papai? — Clara perguntou, ansiosa. — O que está errado?

Sua mãe parecia alarmada. Ela abriu a boca para falar, mas nenhuma palavra saiu. Em vez disso, ela baixou os olhos, impotente, evitando olhar para os filhos. O seu pai ficou encarregado de dar a notícia.

— É um aviso... uma nova regra — papai gaguejou. — Mandaram-nos sair daqui.

— Quer dizer que vamos fazer uma viagem? — Peter falou pela primeira vez.

Seus grandes olhos redondos estavam arregalados e ele mastigava nervosamente a manga da camisa, um velho hábito de infância.

— Se você está falando de uma viagem de férias, então temo que a resposta seja não, Peter — papai engoliu em seco ao olhar para os filhos — Mandaram-nos sair da nossa casa. Vamos ser levados para outro lugar.

Um suspiro agudo escapou da boca de Peter enquanto Clara tentava entender o que estava ouvindo. Como poderia ser verdade?

— Para onde vamos, papai? — Clara perguntou.

— Sessenta quilômetros a noroeste de Praga. Os nazistas separaram um lugar para os judeus de Praga e outras cidades. É uma pequena cidade cercada por um muro, onde nós, judeus, podemos viver separados de todo o resto do mundo. Eles a chamam de "gueto". A carta diz que teremos uma casa lá e levaremos uma vida normal. A cidade se chama Terezin.

Terezin. Clara deixou a palavra rolar pela sua língua. Vagamente, lembrou-se do nome de suas aulas de História, a cidade com o forte construído pelo Imperador José II da Áustria havia mais de duzentos anos. Ela recordou-se de que o forte havia sido construído para proteger Praga dos invasores. E, naquele momento, sua família recebia ordens para deixar sua casa para ir para essa cidade estranha.

— Quando temos que ir, papai? — Peter perguntou com uma voz tão baixa que Clara teve de se esforçar para escutá-lo.

— Em 14 de março de 1943. Daqui a dois dias — mamãe respondeu, como se tivesse memorizado a data do aviso.

Ela correu os olhos pelo apartamento em desespero:

— O que embalar primeiro?

Seus olhos passaram dos quadros nas paredes, cada um escolhido com carinho, para a estátua de porcelana no aparador acima da lareira, um presente do seu casamento.

— O que levaremos conosco? — ela perguntou quando seus olhos pararam sobre uma grande estante de livros na sala da frente. Mamãe, ex-bibliotecária, amava ler e, ao longo dos anos, havia acumulado uma grande coleção de livros raros que ela amava ternamente.

— Temo que não possamos levar muita coisa, mãe — papai respondeu. — Só podemos levar quatro malas, cinquenta quilos no total.

— E o que deixaremos para trás? — lágrimas se formaram nos olhos de mamãe.

"Tudo", Clara pensou. Casa, amigos, familiares, vizinhos, roupas e recordações pessoais. Tudo que ela conhecia, tudo que era seguro e familiar. Clara virou-se quando Peter correu para o seu quarto e bateu a porta. Através da porta, todos eles podiam ouvir o choro abafado e cheio de raiva.

— Vamos, mamãe, Clara — disse papai, tirando os óculos para enxugar seus próprios olhos. — Temos muito a fazer.

2

O DIA DA MUDANÇA

— Clara, pela terceira vez, acorde! São três horas da manhã e você sabe que temos de estar na estação de trem daqui a pouco — a mãe de Clara curvou-se novamente para sacudir sua filha, frustrada por ela se recusar a se mexer.

— Mais cinco minutos — Clara resmungou debaixo de suas cobertas. — Prometo que irei levantar se você me der só mais cinco minutos.

De dentro do calor e da escuridão do seu quarto, Clara havia se perdido no mais maravilhoso sonho e não queria que ele acabasse. Ela voava como um pássaro sobre sua amada Praga, olhando seus belos prédios, estátuas e parques. Abaixo dela, o agito das águas do rio Moldava, que fluía rapidamente na direção da Ponte Charles. Lá, centenas de pessoas passeavam, parando de vez em quando para observar os artistas pintando cenas do Castelo de Praga, ou para ouvir os músicos tocarem em troca de um pouco de dinheiro. As flores se abriam ao longo das margens do rio e o voo de Clara a levou por tortuosas ruas de paralelepípedos, por baixo de arcos e pela estátua de São Venceslau na praça. Era como se ela estivesse reparando na beleza da cidade pela primeira vez, e Clara se sentia livre. Saindo do seu sonho, ela foi jogada de volta na Terra e na realidade com baque surdo.

— Clara, levante-se agora! — mamãe chamou mais uma vez e, com um suspiro pesado, Clara rolou para fora da cama, na sua última manhã em casa. Sua mala já estava pronta, não havia mais nada a fazer a não ser se lavar, se vestir e comer alguma coisa antes de partir.

Clara olhou para a pilha de roupas na cadeira e começou a vestir três peças de roupa de baixo, duas saias, duas blusas, três malhas e um vestido.

Era a maneira de levar mais roupas, acima do limite de peso das malas a que a família tinha direito.

Clara terminou de se vestir e se olhou no espelho, tentando, sem sucesso, ajeitar os cachos longos, rebeldes e escuros. Ela odiava cachos. Por que seu cabelo não podia ser liso como o de sua mãe ou, pelo menos, loiro como o de Peter? Seus olhos castanhos brilharam enquanto ela se olhava cuidadosamente no espelho. Ela se perguntava quem iria encontrar nesse novo lugar. Clara já estava acostumada com judeus sendo obrigados a deixar Praga. Ela viu muitos amigos e familiares deixarem suas casas com avisos parecidos nas mãos. Mesmo assim, de alguma forma, Clara acreditava que isso nunca aconteceria com a sua família. A posição do pai, como médico, lhes havia dado alguma proteção no meio da guerra. Os médicos ainda eram necessários em Praga, mesmo aqueles que cuidavam apenas de judeus.

— Isto é ridículo — Clara disse em voz alta quando terminou de se vestir. — Parece que engordei cinco quilos.

— É importante — mamãe a lembrou quando ela se juntou à família, à mesa, para a última refeição em seu apartamento. — Não sabemos por quanto tempo ficaremos lá e precisamos levar o máximo de roupas que pudermos.

Ela insistiu para que Clara comesse mais um pãozinho com queijo e terminasse de beber seu chá quente.

A voz de mamãe era firme, mas seus olhos pareciam cansados e tristes. Nos últimos dois dias, ela havia andado pela casa atordoada. Clara às vezes a flagrava em pé diante de uma velha foto de família, perdida na lembrança do passado. Mamãe e papai viviam naquele apartamento desde o dia em que haviam se casado e perdê-lo era como perder alguém da família.

— Peter — papai disse —, você terminou de embalar as suas coisas?

Em silêncio, Peter fez que sim com a cabeça, parecendo ainda mais triste do que normalmente.

— Você acha que poderemos levar minha bola de futebol, papai? — ele perguntou.

Peter vivia para o futebol, era a única atividade que o fazia parecer vivo. Sua velocidade surpreendente havia feito dele a arma secreta da sua escola. Mesmo depois de ele e Clara terem sido expulsos da escola, Peter treinava futebol no pátio do lado de fora do prédio em que morava, todos os dias. Os vizinhos frequentemente reclamavam do barulho da bola chutada contra a parede e que, por pouco, não acertava as janelas.

— Não, filho, eu acho que a bola terá de ficar aqui. Há coisas mais importantes que precisamos levar. Mas, talvez, tenha futebol em Terezin — ele acrescentou.

Às três e meia da manhã, Clara, seus pais e Peter estavam se deslocando rapidamente pelo apartamento, pegando pertences de última hora e entulhando-os dentro de suas malas. Eles tentavam tomar as últimas decisões sobre esse ou aquele objeto, todos repletos de lembranças, pesando a importância de cada um em relação a coisas mais práticas. Depois que as malas estavam prontas, mamãe arrumou o apartamento, como se o estivesse preparando para receber visitas.

— Por que se incomodar com isso, mamãe? — Clara perguntou. — Nem sabemos o que vai acontecer ao apartamento depois de partirmos.

Ela estava sempre arrumando as coisas.

— Quero que nossa casa pareça perfeita. Dessa forma, sempre vou me lembrar do quanto ela é linda — ela respondeu.

O pai de Clara juntou as malas e levou-as para o *hall* de entrada. Clara voltou para olhar o quarto pela última vez. Seus olhos examinaram o lugar, parando brevemente em cada objeto, esforçando-se para memorizar cada detalhe: sua cama branca com dossel e a cômoda e a escrivaninha combinando, a casa de bonecas no canto com os pequenos móveis feitos à mão, o papel de parede florido que o pai havia colocado no seu aniversário de oito anos. Clara respirou fundo várias vezes, como se quisesse pegar os aromas que conhecia tão bem e acrescentá-los às suas memórias. Se eu não voltar por um tempo, não quero esquecer nada disso, ela pensou. Por fim, ela fechou a porta e foi para junto da sua família na sala de estar.

A última coisa que papai fez foi largar a chave do apartamento sobre a mesa de jantar. De repente, o que havia sido deles não lhes pertencia mais. Lágrimas brilharam nos olhos de mamãe e papai colocou o braço ao redor dela para tranquilizá-la.

— Vamos, mãe, temos que ir.

Mamãe ficou em pé ao lado do pequeno gabinete perto da porta da frente, passando os dedos pela sua superfície.

— Só mais um minuto. Eu... eu preciso ficar só mais um minuto — ela sussurrou enquanto as lágrimas transbordavam e desciam pela face — Não pensei que seria assim... tão doloroso, tão rápido.

Mamãe parecia pequena e derrotada.

— Precisamos olhar para frente agora, mãe — papai tinha uma postura altiva e orgulhosa.

Peter enterrou a cabeça no seu sobretudo enquanto Clara apertava a mão de seu pai. "Não olhe para trás", ela pensou, tentando ouvir as fortes palavras de papai. "Olhe para frente".

Clara e sua família caminharam os dois quilômetros até a estação de trem, passaram pela escola, pela sinagoga e pelo parque. Ela se perguntava quanto tempo levaria até que visse esses lugares novamente. Eles chegaram à estação de trem tão cedo que o céu estava escuro ainda e a manhã parecia noite. Havia um vento frio que soprava os galhos das árvores em todas as direções, como se acenassem em despedida. "Adeus, Praga", Clara pensou.

A convocação informando-os que seriam transportados para fora da cidade, dizia que deveriam estar na estação às cinco da manhã.

— É melhor chegar cedo — disse papai com sua sabedoria de sempre. — Quem sabe quantos outros receberam uma convocação? Dessa maneira, conseguiremos garantir assentos no trem. Não queremos viajar com desconforto.

"Já estou desconfortável", Clara pensou, suando sob as camadas de roupas. Eles chegaram à estação às quatro da manhã, mas não foram os únicos a chegar cedo. Centenas de pessoas alinhavam-se nas ruas em frente ao armazém, todas as famílias forçando para chegar mais para frente. Clara queria ficar no fundo. Talvez, dessa maneira, não tivesse que ir.

— Vocês acham que haverá lugar para todos no trem? — Clara perguntou.

Ninguém respondeu. Nos últimos dois dias, seus pais haviam parado de responder muitas de suas perguntas.

— Por que temos de ir? — ela perguntava repetidamente.

— Porque as autoridades disseram que temos de ir — era a resposta.

— Mas por quê?

— Porque é a nova lei.

— Mas e se nos recusarmos a ir?

— Não podemos recusar.

— Mas por quê?

Nenhuma resposta.

A família de Clara finalmente chegou ao começo da fila. Lá, em uma pequena escrivaninha, estava sentado um oficial alemão de aparência severa.

— Cartões de identidade — ele vociferou.

Papai entregou rapidamente as pequenas cadernetas com suas fotos e a letra "J" maiúscula que os identificava como judeus. Seus nomes estavam escritos com clareza na frente: Simon e Helen Berg e seus filhos, Clara Berg e Peter Berg. No lugar desses documentos, ele recebeu cartões, cada um com um número, e os entregou à família para pendurar no pescoço. Era como se seus nomes, assim como sua casa, estivessem sendo tirados deles. Não precisariam mais de documentos para se identificarem. O que isso significava?

Quando seus números foram chamados, todos se apressaram para juntar suas malas e seguir para a plataforma. Oficiais alemães gritavam ordens enquanto eles embarcavam no trem e lutavam para conseguir assentos. Papai seguiu na frente, conseguindo por fim encontrar quatro assentos juntos em um canto do trem. Outras pessoas não tiveram tanta sorte e tiveram de ficar em pé nos corredores, apertadas umas nas outras como as bonecas de Clara em casa, quando ela as jogava de volta no fundo do armário. Todos pareciam perdidos e apavorados.

Uma garotinha soluçou no ombro de sua mãe.

— Não quero ir com o trem, mamãe. Quero ir para casa — ela chorou.

— Shhhh. Calma, calma, minha filhinha querida. Encoste a cabeça no meu ombro e durma agora.

A mãe acariciou a cabeça da menina e a balançou para frente e para trás, sussurrando amorosamente em seu ouvido. Ela beijou a testa da filha enquanto lágrimas escorriam por seu rosto. Clara virou para o outro lado. Ela também queria chorar, mas sabia que, com a sua idade, precisava ser corajosa.

O trem deixou a estação lentamente, movendo-se em direção ao oeste, à cidade que seria o novo lar deles. Ele estava cheio de famílias amedrontadas, todas se perguntando o que a vida traria para elas nos próximos dias e meses. O rosto de papai parecia impressionantemente calmo, mas ele sempre parecia calmo e Clara confiava nessa força imperturbável para sustentar a sua própria força. O rosto de mamãe, por outro lado, revelava os seus sentimentos. Peter cochilou à medida que o som do motor foi embalando o sono de muitas pessoas com seu ritmo constante.

"Para onde estamos indo?", uma pequena voz dentro da cabeça de Clara gritou. "O que encontraremos lá? Estaremos seguros? Algum dia, voltaremos para casa?" As outras regras e leis haviam mudado tudo na sua vida, mas, esta, estava arrancando dela a vida que ela conhecia. Clara fechou os olhos e tentou retomar o sonho que tivera na noite anterior, mas ele escapou. O sonho de Clara, assim como a cidade de Praga, estava desaparecendo rapidamente atrás dela.

3

CHEGANDO A TEREZIN

O trem diminuiu a velocidade e, depois, parou bruscamente, acordando todos com um solavanco.

— Hã? Onde estamos? — Peter perguntou, olhando ao seu redor.

Pela janela do trem de passageiros, via-se o céu cinza e uma névoa marrom pairava baixa pelo horizonte.

Alguns minutos depois, as portas foram abertas e guardas em uniformes entraram no trem, gritando ordens para o desembarque:

— Todos para fora do trem. Andem rápido. Levem todas as suas coisas. Andem! Andem!

Todos se atropelaram para reunir as malas e se embaralharam em direção à saída. Papai virou-se para ajudar mamãe, enquanto Peter e Clara pulavam para a plataforma e olhavam ao redor. A placa da estação dizia "Bohusovice". De acordo com o mapa do país que estava no escritório de papai no apartamento, Clara sabia que aquela era a estação mais próxima de Terezin, mais ou menos a três quilômetros da cidade. Ao redor, havia uma confusão: guardas gritavam ordens, crianças pequenas choravam, pessoas se empurravam. Clara queria olhar o que estava acontecendo à sua volta, mas tinha medo de perder sua família de vista.

— Deixem suas malas na plataforma. Elas serão levadas de caminhão. Formem uma fila. Sigam os oficiais até a frente. Parem de falar. Andem! Andem!

As ordens continuavam, rápidas e furiosas. Onde estava Peter? Onde estava sua mãe? De repente, uma pequena pessoa segurou Clara por trás e a girou.

— Clara! Você também está aqui?

Clara não podia acreditar que alguém sabia o seu nome. Atordoada por um momento, ela encarou a amiga, Hanna Klein.

— Hanna? Oh! Hanna, estou tão feliz de ver alguém que eu conheço. Sua família toda está com você?

— Sim, eles estão lá atrás, ajudando meus avós a saírem do trem. Você acredita que estamos aqui? Todos esses guardas com armas me dão medo.

Clara concordou com a cabeça. Ela se perguntou por que raios havia tantos guardas. Eles realmente acreditavam que alguém teria coragem de escapar da multidão e fugir?

— Sigam em frente! Parem de falar! — mais uma vez, os guardas berravam para os passageiros.

— Tente procurar por mim quando chegarmos aonde quer que seja que estamos indo — Hanna sussurrou, depois de dar um abraço rápido em Clara. Clara virou-se novamente para procurar a família e viu sua mãe examinando a multidão nervosa.

— Clara — ela gritou, aliviada por ter visto sua filha —, não saia de perto de nós. Devemos ficar juntos. Segure minha mão e não solte.

Mamãe agarrou o braço de Clara e, juntas, espremeram-se pela multidão até verem o restante da família à frente.

A multidão foi forçada a formar filas, cercada por todos os lados pelos guardas segurando rifles. Todos caminharam em uma marcha lenta na direção da cidade. Devemos formar uma imagem triste, Clara pensou, centenas e centenas de pessoas exaustas e assustadas, as cabeças baixas, caminhando cuidadosamente em meio à névoa. Homens e mulheres idosos tropeçavam na lama e os guardas continuavam gritando ordens. Cachorros com dentes grandes e feios, presos nas coleiras, rosnavam e os guardas os deixavam avançar nas pessoas, puxando-os de volta no último segundo antes de atacarem alguém. As crianças choravam e seus pais, exaustos, tentavam silenciá-las. Um sentimento de expectativa e medo pairava no ar.

Levaram quase uma hora a pé para alcançar os arredores de Terezin e para cruzar por cima do fosso até à antiga cidade. Ela era isolada e fácil de vigiar por causa dos altos muros. A primeira parada foi em um grande depósito onde cada pessoa recebeu cartões de ração. Clara e sua família recuperaram a bagagem na parada seguinte e seguiram para a área de inspeção. Os potes de conserva que mamãe havia guardado no fundo da mala foram rapidamente confiscados, juntamente com sua pasta de dentes, sabão e um livro precioso que ela havia trazido. Esses itens não eram permitidos, disseram a eles.

Havia tanta comoção ao redor, que Clara mal pôde respirar até ser empurrada para a parada seguinte. Não havia tempo para parar e absorver a cena que a cercava, não havia tempo para nada além de acompanhar a movimentação da multidão. Os guardas estavam por toda parte, mantendo a ordem enquanto faziam aquelas pessoas cansadas e amedrontadas continuarem em movimento. Finalmente, chegou a hora de pegarem suas malas novamente e descobrirem onde iriam morar. A última ordem foi a mais alarmante de todas.

— Barracão dos homens à esquerda, das mulheres à direita. Crianças, em frente.

Certamente era um engano! Clara olhou rapidamente para os pais. Eles pareciam tão chocados quanto ela.

— Mamãe, não vamos ficar juntos — Clara disse quase sem fôlego, agarrando o braço de sua mãe aterrorizada enquanto a multidão movia-se para frente.

Não houve tempo para dizer adeus antes de a fila se dividir nos três grupos ordenados. O medo martelava na cabeça de Clara e os olhos redondos de Peter se arregalaram quando ele se virou procurando desesperadamente pela mamãe e pelo papai. "Ajudem-me", seus olhos imploravam. "Não deixem que me tirem de perto de vocês!" O som de crianças chorando pelos pais crescia enquanto Clara examinava a multidão, finalmente parando o olhar nos rostos de seus pais.

— Clara — o pai chamou —, tente ficar com Peter. Procuraremos por vocês assim que pudermos.

Mamãe não conseguia falar, mas ergueu o braço para acenar e, depois, Clara e seu irmão foram novamente varridos pela multidão. Ela sentiu um nó na garganta. Nem mesmo a imagem do pai, tão forte e alto, podia tranquilizá-la. Por toda a parte, crianças pequenas estavam chorando, sendo consoladas por outras crianças, apenas alguns anos mais velhas. Clara segurou firmemente a mão de Peter.

— Estas duas malas são suas? — um jovem garoto estava parado na frente dela, apontando para as malas. Clara fez que sim, ainda incapaz de falar uma só palavra.

— Certo, vou levar esta e vocês dois pegam a outra. Sou Jacob Langer e vou ajudá-los a encontrarem seu prédio.

Jacob inclinou-se para erguer a maior das duas malas e Clara parou para olhá-lo. Ele era muito magro e parecia ter 15 anos. Suas roupas estavam maltrapilhas, surradas e rasgadas e eram muito pequenas para seu corpo alto. Clara não pôde deixar de notar que ele puxava as mangas da camisa,

como se pudesse deixá-las mais longas com isso. E, ainda assim, havia algo interessante nele, ele parecia saber o que fazer.

— Meu nome é Clara Berg e este é meu irmão, Peter — disse ela enquanto os três caminhavam.

Jacob olhou curioso para os dois recém-chegados. O garoto parecia assustado e delicado, ele pensou. A garota parecia forte e inteligente. Isso era bom, ela precisaria disso naquele lugar.

— Certo, Clara e Peter, é assim que funciona — disse Jacob em um tom de confidência enquanto andavam. — Estes dois prédios aqui no centro da cidade são os dormitórios para as crianças com menos de dezesseis anos, um para garotos e outro para garotas. Peter, você ficará nesse prédio adiante. Também é onde eu fico, mas você ficará com os garotos da sua idade. Vou apresentá-lo aos outros depois que você se acomodar. Clara, você ficará no dormitório das meninas aqui, não muito longe do seu irmão. Os quartos podem não parecer muito bons, mas, acreditem em mim, são muito melhores do que os quartos dos adultos.

Clara estremeceu, imaginando onde mamãe e papai estariam naquele momento.

— Tente pegar a cama de cima de um dos beliches — Jacob continuou. — Você terá mais espaço para respirar e um pouco de privacidade. Se tiver alguma dúvida, basta perguntar. Demora um pouco para aprender as regras e posso ajudá-la a entender algumas coisas. Você ficará bem desde que fique aqui. Só não queira ser mandada para longe.

Clara se perguntou por que ele dizia aquilo. O que acontecia àqueles que iam embora? Não havia tempo para perguntas, em vez disso, ela olhou ao seu redor pela primeira vez desde que havia chegado.

Cercando-a, havia prédios de tijolos com três andares, parecidos com os prédios de apartamentos de sua cidade, porém mais sujos e degradados. Mais ao longe, havia outros prédios menores, parcialmente bloqueados por grandes estruturas que ficavam na frente deles. Em um e outro lugar, através dos vãos das portas e das janelas dos prédios, Clara via adultos apertados em barracões sujos e abarrotados, deitados em colchões rasgados e camas pequenas. Ela também iria viver assim? Clara sentiu um arrepio.

No centro da cidade, passaram por uma grande praça, cercada e claramente proibida. A praça tinha o tamanho de um parque, mas era estéril, lamacenta e deserta. Nem um pedaço de grama, árvore ou flor podia ser vista nesse lugar sombrio. Na verdade, não havia cor em nenhum lugar de Terezin. Era como se os vermelhos e os azuis e os amarelos e os verdes do mundo real tivessem sido varridos dali. No lugar deles, tudo era cinza e marrom, e tedioso.

Um velho apoiado pesadamente sobre um bastão de madeira empurrou-os para passar, batendo em Peter com tanta força que ele quase caiu. Os olhos de Peter brilharam com raiva e, por um momento, Clara pensou que ele iria atrás do velho. Porém, o momento passou e Peter baixou a cabeça mais uma vez, mastigando nervosamente sua manga. Milhares de pessoas pareciam estar andando pelas ruas de Terezin. Às vezes, era difícil acompanhar Jacob e não perdê-lo na multidão. Clara tentou imaginar quantas pessoas estavam espremidas dentro daqueles poucos prédios.

Como se tivesse lido seu pensamento, Jacob virou-se para falar por cima do seu ombro:

— Há mais de quarenta mil judeus em Terezin neste momento. De vez em quando, não tenho certeza se todos nós caberemos neste lugar.

As ruas e calçadas eram estreitas e havia vários guardas em praticamente todos os cruzamentos. Os guardas pareciam alertas, os rifles apontados para frente, os olhos colados nos prisioneiros que se movimentavam exaustos pelas ruas. As expressões em seus rostos eram assustadoras, eles pareciam estar esperando um confronto para que pudessem provar quem estava no comando.

— Tome cuidado com aquele guarda — Jacob alertou, apontando na direção de um homem de uniforme e com uma expressão bastante carrancuda. — O nome dele é Heindl. A maioria dos guardas tchecos é tranquila, mas ele é nazista. Ele é encrenqueiro e é melhor ficar fora do seu caminho.

Clara estava prestes a perguntar o que ele queria dizer quando Jacob interrompeu seus pensamentos.

— Certo, Clara, só posso ir até aqui. Você poderá ver o Peter na fila para pegar comida. Não se preocupe, vou cuidar dele.

Clara pegou a mala e virou-se para olhar seu irmão. Peter não tinha dito uma só palavra desde que haviam chegado à estação de trem de Bohusovice, mas o medo em seus olhos era inconfundível.

— Peter, eu o verei logo, prometo — Clara tentou fazer sua voz soar o mais forte e confiante possível, embora não se sentisse nem forte nem confiante.

Ela abraçou o irmão rapidamente e observou enquanto ele e Jacob caminhavam na direção do prédio deles. A cabeça de Peter estava bem baixa e seus ombros, curvados para frente. Clara queria correr atrás dele, tanto para o seu próprio bem quanto para o bem dele. Ela se sentia mais solitária do que jamais havia se sentido na vida. Engoliu as lágrimas, virou--se e subiu os degraus daquele que se tornaria seu novo lar.

4

O DORMITÓRIO DAS MENINAS

Clara entrou no quarto número seis, no topo das escadas. "Tenho de passar por isso", ela pensou, quando finalmente as lágrimas escorreram pelo seu rosto. "Não tenho escolha". Mais do que nunca, Clara precisava de seus pais e ela nem sabia onde estavam. Nunca havia se sentido tão sozinha. Ela parou na porta, pensando no que fazer.

— Clara, estou tão feliz por vê-la aqui — uma voz familiar a chamou.

— Hanna! — Clara gritou, abraçando sua amiga com força e limpando as bochechas molhadas de lágrimas. — Você também vai ficar neste quarto?

Quando Hannah fez que sim com a cabeça, Clara agarrou-a novamente.

— Ó! Você não sabe como isso me deixa feliz!

As duas meninas ficaram vários minutos abraçadas. Hanna era como se fosse de casa para Clara, as duas haviam sido grandes amigas em Praga. Muitas vezes, Hanna havia se esforçado ao máximo para ajudar Clara. Certa vez, Clara ficou uma semana doente com gripe. Sem que lhe pedissem, Hanna levou o dever de casa para ela todos os dias. Em meio a tudo que era desconhecido e assustador em Terezin, Clara tinha uma grande amiga!

Por fim, as duas garotas se separaram para examinar o quarto. Ele estava fracamente iluminado por uma única lâmpada, pendurada no centro do teto. Os beliches tinham três camas, com escadas em cada extremidade.

Clara podia ver, pelo número de camas colocadas juntas, que o quarto tinha capacidade para cerca de trinta pessoas, embora, naquele momento, estivesse vazio. Uma longa mesa de madeira com bancos ocupava o centro do quarto, e isso era tudo.

— Horrível, não? — Clara disse, arrepiando-se com a frieza daquele quarto quase vazio.

Hanna concordou com a cabeça.

— Você acha que devemos entrar?

Clara lembrou-se do conselho de Jacob sobre a cama de cima e sugeriu a Hanna que encontrassem um lugar para colocar suas coisas.

As meninas pegaram suas malas e entraram no quarto, verificando cada cama com cuidado para ver se alguma estava vaga. A maioria das camas estava ocupada. Casacos, camisas e meias estavam espalhados. As paredes de vários beliches estavam cobertas por mensagens, talhadas na parede de madeira com um prego ou uma faca. Clara curvou-se para olhar mais de perto. Estavam gravados nomes e datas, possivelmente de ocupantes anteriores. Clara se perguntou para onde haviam ido, lembrando-se da referência que Jacob havia feito sobre aqueles que deixavam o gueto. Ela se levantou e alongou o pescoço para olhar os beliches de cima e finalmente viu um que parecia vazio.

— Ali, Hanna — ela disse. — Vou subir e ver se alguém está usando aquele leito.

Clara foi até o pé da cama e subiu a escada.

— Há dois lugares vazios aqui em cima, um perto do outro. Dê as malas para mim e eu as colocarei nas camas.

Clara estava se esforçando para empurrar a segunda mala escada acima quando ouviu passos nas escadas e o som de vozes de crianças. Ela desceu rapidamente, bem quando um grupo de vinte e cinco meninas, mais ou menos da sua idade, irrompeu pela porta. Elas pararam completamente quando viram Hanna e Clara. As meninas eram magras e pálidas, como se não comessem bem havia muito tempo. Isso assustou Clara, ver um grupo de meninas da sua idade que pareciam tão doentes. As roupas estavam esfarrapadas por serem usadas com muita frequência e não serem bem lavadas. Elas olharam com curiosidade para Hanna e Clara. Uma jovem, com cerca de vinte anos, passou pelo meio do grupo e parou na frente das meninas.

— Então, vocês são as duas novas garotas. Você é a Clara? — ela perguntou.

Clara balançou a cabeça afirmativamente.

— Muito bem, então você é a Hanna. Desculpe por não estarmos aqui para recebê-las, tivemos permissão para sair e estávamos no pátio. Não esperávamos que fossem chegar tão cedo. Meu nome é Marta Adler e eu sou a líder deste quarto.

Marta parecia carinhosa e gentil, uma bela jovem, mesmo em meio à tristeza do gueto. Ela lembrava a senhora Slaba, uma das professoras favoritas de Clara, na sua antiga escola. Marta estendeu as mãos para Hanna e Clara e guiou-as pelo grupo de meninas, parando de vez em quando para apresentar várias delas. Uma por uma, as meninas disseram os nomes e deram as boas-vindas a Clara e a Hanna em sua nova casa. Parecia estranho para Clara ouvir todas chamarem aquele lugar de casa. Não podia deixar de se perguntar se algum dia pensaria nele daquela forma.

— Vejo que já escolheram seus beliches — Marta continuou. — Que bom. Por que não desfazem as malas e nós as tiraremos do caminho? As outras meninas precisam arrumar as camas, antes de irmos comer — ela disse, lançando um olhar cheio de significados para o grupo. — Falem comigo ou com elas se tiverem dúvidas. Estamos aqui pra ajudá-las a se acomodarem.

Com isso, ela percorreu o quarto até um beliche inferior, que era o dela. As meninas cercaram Clara e Hanna, olhando-as cheias de interrogações.

— De onde vocês são? — uma menina loira perguntou. — Eu sou de Brno — ela disse, dando o nome de uma cidade no leste.

— Nós duas somos de Praga — Clara respondeu. — O que vocês estavam fazendo lá fora? — ela não conseguia imaginar que coisas interessantes acontecessem por lá.

— Estávamos jogando vôlei — outra garota respondeu. — Tentamos conseguir permissão para irmos ao pátio todas as tardes e fazermos um pouco de exercício. Ficaríamos loucas e, com certeza, deixaríamos Marta também, se ficássemos aqui dentro o dia todo.

As meninas riram, olhando na direção de Marta.

Havia risadas no quarto e até um pouco de diversão. Era tudo muito confuso. Em um minuto, Clara sentia medo e, no minuto seguinte, sentia-se calma. Em um momento, tudo parecia horrível e, no momento seguinte, havia esperança. Pouco antes, ela estava sendo separada de seus pais e de seu irmão e, em seguida, estava conversando com meninas da sua idade, que acabavam de voltar de um jogo de vôlei. Era demais para Clara conseguir entender.

Ela se virou e subiu no seu beliche, para começar a desfazer a mala. Não havia nada além de roupas dentro dela. Mesmo os livros que guardara haviam sido pegos pelos guardas, junto com papéis e canetas. Em questão de minutos, ela terminou de desfazer a mala, encostando-a na parede, e tirou as camadas extras de roupas. Curiosa, ela se aproximou de algumas meninas para descobrir mais sobre o lugar de onde vinham e o que havia acontecido com elas desde a chegada a Terezin. Sonia, uma menina pequena com olhos castanhos tristes, era de Berlim, na Alemanha, e disse a Clara que estava lá havia seis meses. Ela disse que Clara teve sorte de não ter chegado lá no inverno. Os prédios tinham pouco aquecimento e, sem roupas quentes, muitas crianças haviam ficado doentes.

— Mas isso nem se compara ao quanto é ruim o calor do verão — interrompeu Erika, uma menina alta e bonita de cabelos castanhos escuros. Ela estava em Terezin havia dez meses e passou tanto pelo verão quanto pelo inverno. — No verão, fica tão quente que mal podemos respirar aqui. Mas o maior problema é a água, ela não é muito limpa e é escassa. Certo dia, no meio do verão, os guardas nos fizeram marchar ao redor da praça por horas, sem nenhuma sombra nem nada para beber. Eu desmaiei e várias outras meninas também. O inverno parecia fácil comparado àquilo.

As garotas em volta dela concordaram com a cabeça.

Uma a uma, surgiram histórias de comida insuficiente, água ruim, doenças e calor e frio insuportáveis. Clara sentiu um nó no estômago. O rosto de Hanna estava igualmente pálido quando ela se sentou em silêncio para ouvir as histórias das meninas.

— Mas, quer saber? — disse Sonia. — Qualquer coisa é melhor do que ser levada daqui.

As outras assentiram.

— Jacob, o menino que conheci quando chegamos, disse alguma coisa sobre isso também — Clara falou. — O que acontece com as pessoas que saem daqui? Para onde vão?

As garotas olharam umas para as outras cautelosamente e, depois, Erika respondeu:

— Bem, não sabemos muito a respeito disso, a maior parte são boatos. Mas sabemos que há outros campos no leste onde as coisas são muito piores. Portanto, o que quer que aconteça, você não iria querer receber um aviso mandando-a fazer as malas e apresentar-se para uma transferência. Foi o que aconteceu com a Alice, a menina que costumava usar a sua cama — ela afirmou, balançando a cabeça na direção de Hanna. — E foi o que aconteceu a outras pessoas. Nunca mais tivemos notícias delas.

O silêncio pairou sobre o grupo enquanto as palavras de Erika faziam seu efeito. Clara sentiu-se mal ao pensar na possibilidade de ser mandada para um lugar ainda pior que Terezin, estar lá já era ruim o bastante. Mais do que tudo, ela precisava ver seus pais e seu irmão, para saber que estavam bem e para procurar nos olhos deles um sinal de que podia se acalmar. Como se lesse seus pensamentos, Marta se aproximou do grupo.

— Vamos, meninas, é hora de fazer fila do lado de fora da cozinha para pegarmos as porções de comida. Clara e Hanna, se formos rápidas, vocês podem ter a sorte de ver suas famílias. Entrem na fila, mas fiquem quietas. Temos de andar com agilidade e organização.

Era a deixa de que Clara precisava. Formando uma fila rapidamente, elas todas caminharam juntas, desceram as escadas e saíram. No início da fila, Marta guiava as garotas pelas ruas de Terezin em direção à cozinha, a vários prédios dali. Ao redor delas, outros grupos de crianças, de idades variadas, também estavam caminhando para pegar o jantar. Os guardas estavam por toda a parte, não necessariamente interferindo na marcha, mas simplesmente observando, para garantirem que todos continuassem andando de maneira organizada.

Clara examinava ansiosa a multidão procurando por Peter, e, por fim, encontrou-o à sua esquerda. Andando de cabeça baixa, ele parecia muito pequeno e perdido. Olhe para mim, Peter, os olhos de Clara imploravam. Levante a cabeça e olhe nesta direção. Naquele momento, Clara viu Jacob caminhando atrás de Peter. Quando Jacob a viu, ele cutucou Peter levemente para que olhasse na direção dela. Peter parecia estar entorpecido, mas seus olhos se iluminaram ao verem a irmã. Jacob fez um rápido sinal de positivo para Clara com as mãos. Ele colocou a mão no ombro de Peter para consolá-lo e seu grupo continuou seguindo em frente.

Do lado de fora da cozinha, os olhos de Clara procuraram desesperadamente por seus pais. Ela começou a entrar em pânico, pensando que podia ter passado por eles sem vê-los quando, de repente, avistou mamãe no começo da fila para a comida, servindo com uma concha o que parecia ser uma sopa muito rala. Clara segurou a respiração ao vê-la. Parecia pálida, mas, exceto por isso, aparentava estar bem. Clara queria correr para o início da fila e jogar-se nos braços de sua mãe, mas sabia que seria impossível. Dúzias de guardas estavam por toda a parte, tentando manter a ordem enquanto as pessoas continuavam empurrando umas às outras para chegarem à frente. Todos estavam desesperados por comida e a fila andava com uma lentidão agonizante. Depois do que pareceu uma eternidade para Clara, ela finalmente chegou ao começo da fila. Ao ver a filha em pé à sua frente, mamãe teve um sobressalto e atrapalhou-se com a colher de pau que estava usando.

— Clara! Minha filha doce e querida — ela sussurrou, olhando nervosa para os soldados. — Você está bem? Onde está Peter?

— Estou bem, mamãe, e Peter também. Tentei ficar com ele, como papai disse, mas não pude. Onde está o papai? Ele está bem? — Clara sentia que era perigoso conversar, mas tinha de descobrir como seus pais estavam. Saber que estavam bem lhe dava um pouco de consolo. Mamãe serviu a sopa lentamente no prato de metal de Clara.

— Seu pai recebeu tarefas no hospital e eu irei trabalhar na cozinha. Tenho sorte por ter conseguido este emprego, Clara. Poderei vê-los em todas as refeições e com mais frequência conforme o tempo for passando. Tome, pegue um pãozinho a mais — ela disse, deixando cair um pão no prato de Clara e estendendo a mão para tocar levemente na sua bochecha.

— Sinto a sua falta, mamãe — lágrimas se formaram nos olhos de Clara.

— Seja forte, Clarichka — disse mamãe, usando seu apelido especial para Clara. — Você e Peter estão nas minhas orações.

Clara não podia demorar-se mais e a fila a empurrou para frente com sua comida, enquanto seu estômago se revirava. Ela pensou que ver mamãe a faria se sentir melhor, mas não era suficiente. Ela queria mais e mais tempo com ela, com seu pai e com Peter.

Lentamente, a fila retornou para o quarto de número seis, onde Clara e as outras comeram em silêncio. Depois, lavaram os pratos e as canecas de lata na água fria do banheiro e se prepararam para dormir. De olhos fechados, Clara tentou bloquear os eventos do dia, mas era impossível. Já havia acontecido tanta coisa e era apenas o primeiro dia. Era difícil acreditar que, naquela manhã mesmo, Clara havia acordado no conforto da sua própria cama, na sua casa, com os pais e o irmão nos quartos ao lado. Agora, ela estava deitada em uma pequena cama fria e dura no meio de um lugar estranho e tinha apenas pessoas desconhecidas à sua volta. "Como vou conseguir ficar aqui?", a voz dentro da cabeça de Clara gritou. "Como vou conseguir cuidar de Peter e de mim?", Clara estava brava com o mundo por tê-la abandonado, e apavorada por estar tão só.

Ela pensou brevemente na menina que havia ocupado, antes dela, aquela cama e perguntou-se onde estaria dormindo naquela noite. Ela estaria se sentindo ainda mais assustada do que Clara? Clara ouviu Hanna chorar baixinho e estendeu a sua mão para segurar a dela. Em Praga, Hanna era muito alegre, uma verdadeira tagarela. Lá em Terezin, anestesiada pelo impacto do primeiro dia, Hanna havia ficado estranhamente quieta. Somente suas lágrimas na hora de dormir deram voz ao que ela estava sentindo e pensando.

No outro lado do quarto, uma das meninas chorou alto, como se estivesse sentindo dor. Rapidamente, Marta levantou-se e correu para a cama da menina, acariciando seu braço para acalmá-la e impedir que acordasse as outras com seus soluços assustados. Em todo o quarto, meninas choramingavam dormindo, suas vozes criando uma melodia lúgubre. Clara não era a única que sentia falta da sua família. Elas estavam juntas naquela tristeza e totalmente sozinhas ao mesmo tempo. A exaustão finalmente dominou Clara e ela adormeceu.

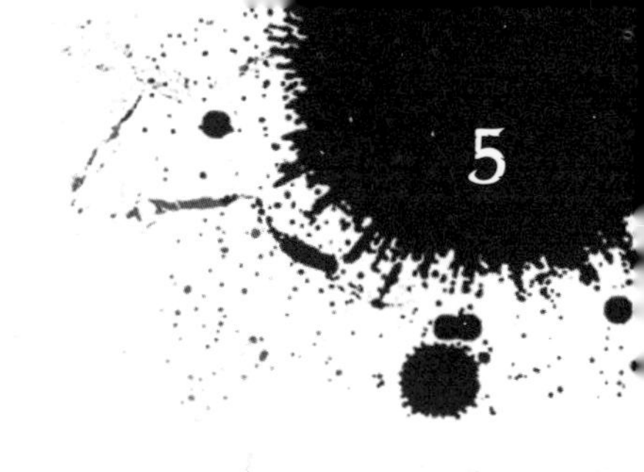

JACOB

Perto dali, no dormitório dos meninos, Jacob também estava se preparando para dormir e pensando no transporte que havia chegado naquele dia. Ele pensou em ir ver o garoto novo, Peter, antes de as luzes serem apagadas. Havia algo naquele menino que fazia Jacob sentir que precisava ajudá-lo. Talvez fosse porque Peter era tão triste e parecia tão indefeso. Isso era compreensível, Jacob pensou. Afinal, ser separado do seu lar e dos seus pais no mesmo dia era demais para uma criança com a idade de Peter. Ou, talvez, fosse porque a irmã de Peter, Clara, demonstrasse estar tão preocupada com ele. Embora Peter aparentasse ser muito novo, Clara parecia mais velha e madura do que outras meninas de treze anos de Terezin. Qualquer que fosse o motivo, Jacob prometeu a si mesmo que daria uma atenção especial a Peter. Porém, antes, ele tinha de guardar as novas roupas que havia encontrado naquele dia.

Jacob balançou a cabeça satisfeito enquanto dobrava uma grande camisa e uma malha e as colocava na pequena prateleira próxima à sua cama. Ele teve sorte naquele dia. No novo transporte, ele havia encontrado um pai com um garotinho. Em troca de algumas roupas do homem, Jacob havia oferecido algumas de suas roupas menores para o menino. O pai concordou prontamente, pensando que era mais importante manter o filho aquecido e confortável do que ele próprio. Assim, Jacob tinha algumas roupas novas. Não eram novas em folha, mas, pelo menos, eram grandes o suficiente para caberem nele. E chegaram em boa hora. Naqueles dias, ele parecia crescer e perder roupas quase semanalmente.

Jacob caminhou para a porta. É preciso ser esperto para sobreviver no gueto, ele pensou. Mas, pensando bem, ele já sobrevivia por conta própria bem antes de chegar a Terezin. Jacob era órfão, seus pais haviam morrido em um acidente quando ele ainda era criança. Ele foi criado em um orfanato de Praga e mandado para Terezin seis meses antes, junto de muitos outros judeus órfãos.

— Estou feliz por tê-lo encontrado, há algo que você tem de ouvir — disse uma voz perto dele.

Jacob levantou a cabeça e viu seu amigo Martin subir as escadas com um lápis e um caderno nas mãos. Martin sempre levava papel com ele, aonde quer que fosse. Ele se dizia jornalista e fazia parte de uma turma de garotos que escrevia artigos para uma revista secreta do gueto. A revista se chamava *Vedem*, que significa "na liderança". Um grupo de meninos havia começado a escrevê-la em 1942, copiando artigos, poemas e até piadas com muita dificuldade, tarde da noite, na escuridão dos seus barracões. Uma única cópia da revista era "publicada" semanalmente e lida em voz alta em reuniões dos dormitórios. Era uma parte vital da vida dos meninos do seu abrigo.

— Então, qual é a notícia de hoje, Martin? — disse Jacob, indicando o papel nas mãos do amigo.

Ter um suprimento constante de papel era bastante difícil no gueto, mas, de alguma forma, Martin e os outros sempre conseguiam furtar um pouco.

— Estou escrevendo um artigo sobre o novo transporte — disse Martin. — Quer ouvir uma parte?

Jacob fez que sim com a cabeça, sempre se lembrando de que as luzes seriam apagadas em pouco tempo. Precisava encontrar Peter, ele pensou novamente, quando Martin subiu alguns degraus para ficar ao seu lado.

— *14 de março de 1943* — Martin começou a ler, limpando sua garganta —, *outro transporte chegou a Terezin hoje com 2 mil pessoas, mais do que o de costume. Os passageiros eram de Praga e cidades vizinhas, além de Varsóvia, na Polônia, e Budapeste. Isso eleva para aproximadamente 43 mil o número de judeus que vivem atualmente no gueto. Os leitores devem saber que os relatos estimam que, pelo menos, 25 mil judeus morreram ou foram mandados de Terezin para o leste nos últimos três anos, mas chegam outras pessoas constantemente para ficar em seus lugares. Assim, o gueto está mais lotado do que nunca.*

"Hoje, o Conselho de Anciãos Judeus estava por perto para cumprimentar os recém-chegados — Martin continuou. — *Jacob Edelstein, o presidente do conselho, deu boas-vindas à multidão e informou que, desde que todos seguissem as regras do gueto, ficariam bem. O grupo era ordenado e bastante calmo. Mais relatos serão feitos à medida que esses novos habitantes se acomodem às suas rotinas."*

Martin parou para levantar o olhar.

— O que você achou?

Jacob não respondeu. Seus pensamentos estavam à deriva com as informações da reportagem de Martin. "Vinte e cinco mil habitantes judeus já haviam morrido em Terezin ou sido enviados para longe", Jacob pensou, incrédulo. Embora soubesse que sempre havia pessoas morrendo ou desaparecendo, era difícil compreender de verdade o quanto esse número era grande.

— O que você disse?

— Deixa para lá — disse Martin. — Ainda precisa ser editado antes de estar pronto para a revista.

Martin dirigiu-se para o quarto, relendo seu artigo em voz baixa, enquanto Jacob continuava descendo as escadas.

À porta do quarto de Peter, Jacob parou. Lá dentro, o líder do dormitório estava tendo dificuldade para acomodar alguns garotinhos mais preocupados e inquietos.

— Vamos, meninos, vocês precisam tentar dormir. Tenho certeza de que todos terão uma chance de ver suas famílias amanhã.

Muitos meninos ainda estavam chorando e chamando pelos pais. Jacob examinou o quarto e avistou Peter encolhido silenciosamente em um canto da sua pequena cama, no lado mais distante do quarto. Jacob aproximou-se dele.

— Oi, Peter. Importa-se se eu me sentar?

Peter quase não notou Jacob, que hesitou por um momento antes de se abaixar para sentar na cama. Ele encarou Peter por algum tempo, parecia mais pálido do que estivera pouco antes naquele dia. Seus olhos verdes e redondos pareciam afundados nas bochechas sem cor e ele mastigava distraidamente a manga do pijama.

— Vim apenas para ver se você está bem, Peter — disse Jacob.

No outro lado do quarto, o líder do dormitório havia começado a cantar uma conhecida canção tcheca. A música flutuou pelo ar até Peter e Jacob, como uma canção de ninar.

— Quero ficar com os meus pais.

Era a primeira vez que Jacob ouvia Peter falar e a forte emoção na voz dele surpreendeu Jacob.

— Eu entendo — Jacob respondeu depois de uma pequena pausa —, mas isso não é possível.

Não adiantava esconder a verdade, era melhor ser honesto desde o início do que tentar criar falsas esperanças para as crianças pequenas.

— Mas acredite em mim, Peter, seus pais iriam querer que você ficasse aqui. Temos quartos melhores do que qualquer adulto e há mais espaço do que em qualquer um dos barracões deles.

Peter olhou ao seu redor enquanto Jacob falava. Jacob sabia no que ele estava pensando. Aquele quarto tinha cerca de quarenta crianças e parecia apertado para as camas e as pessoas. Jacob sabia que, por mais duras que parecessem essas condições, os adultos passavam por algo muito pior. Ele tinha visto alguns dos quartos: colchões rasgados separados por cortinas puídas, chãos sujos que ficavam lamacentos com a chuva, banheiros primitivos nos quartos ou somente no lado de fora e sem água encanada.

— Além disso — Jacob continuou —, você poderá ver seus pais na maioria dos dias.

— Estou com fome — disse Peter, parecendo ainda mais triste.

Jacob concordou com cabeça novamente.

— Eu sei, todos nós temos de nos acostumar com isso. Sua mãe trabalha na cozinha, talvez ela consiga pegar mais comida para você de vez em quando. Você e ela têm sorte por conta desse emprego.

Muitas vezes, Jacob havia implorado por mais comida na fila, sem conseguir nada.

— Sinto falta da Clara — Peter disse em um sussurro.

Jacob suspirou. O que ele poderia dizer para ajudar aquele pequeno garoto a se sentir melhor? Nada. Todos tinham de se adaptar a Terezin no seu tempo, do seu jeito. Ele queria dizer que, quanto mais rápido Peter se adaptasse, melhor para ele. Porém, ele sabia que isso não teria efeito.

— Ouça, Peter, meu quarto é no andar de cima. Se precisar de qualquer coisa, procure por mim. Eu ajudarei se puder.

Os olhos de Peter brilharam por um momento, um olhar nervoso que insinuou que ele não acreditava em Jacob. Essa raiva surpreendeu Jacob, mas também o agradou. "A raiva era uma coisa boa. Ela às vezes ajudava a deixar a pessoa mais forte", ele pensou. Com nada mais a dizer, Jacob levantou-se e deixou o quarto, subindo as escadas justamente quando as luzes foram subitamente apagadas. Isso não o incomodou, ele estava acostumado a fazer esse caminho no escuro. Ao passar pelo corredor já tão familiar, virou-se para entrar em seu quarto e tateou o caminho até seu beliche.

Jacob despiu-se em silêncio e subiu para a sua cama, puxando o lençol comido por traças até o queixo. Virando-se, ele colocou a mão sob o travesseiro e sentiu o pequeno pedaço de pão que havia embrulhado cuidadosamente em um pano e escondido lá. O pão era um troféu, dado a ele por ter se voluntariado para ajudar a limpar um dos banheiros. Precisou de toda a sua força para não comê-lo. Talvez pudesse trocá-lo por meias mais quentes, ele pensou, ou por um pouco de papel para a revista. Talvez ele até desse o pão para aquele menino, Peter, ou para a irmã dele. Ele não tinha certeza do porquê do seu interesse por Clara e seu irmão. Qualquer que fosse o motivo, Jacob adormeceu esperando ver Clara novamente no dia seguinte.

6

A PRIMEIRA MANHÃ

No seu sonho, Clara estava voando novamente. Mas, dessa vez, enquanto flutuava bem alto no céu, não reconhecia a terra abaixo dela. Era cinza e marrom, parecia outro país. Onde estava a cidade de Clara e suas belas pontes e prédios? O que aconteceu com a casa dela e as pessoas que ela conhecia e amava? Ela estava perdida, sozinha e com muito frio. De repente, Clara escutou sinos tocarem ao longe. Seriam os sinos da igreja de São Nicolau em Praga, onde diziam que Wolfgang Mozart havia tocado órgão? Ou seriam os sinos da escola chamando Clara para a primeira aula do dia? "Apresse-se", ela pensou, "voe na direção dos sinos. Talvez lá esteja a sua casa". "Voe depressa", ela pensou, à medida que o som dos sinos crescia. Eles badalavam cada vez mais alto, ressonando repetidamente em seus ouvidos até que ela acordou com um sobressalto, sentando-se em sua cama no quarto de número seis. Alto-falantes explodiam do lado de fora do prédio, acordando Clara para o seu primeiro dia inteiro em Terezin.

— De pé, meninas — Marta chamou, andando de lá para cá no centro do dormitório. Ela já estava vestida. — Formem uma fila para usar o banheiro e, depois se vistam o mais depressa possível.

Marta parou embaixo do beliche de Clara e olhou para ela.

— Clara e Hanna, sigam as outras garotas. Logo vocês aprenderão a rotina.

Ela seguiu adiante, parando de vez em quando para sacudir alguma menina adormecida.

— Acordem todas, precisamos nos aprontar para o café da manhã.

Clara virou-se para olhar Hanna e viu que o contorno dos olhos dela estava vermelho, uma combinação de lágrimas com uma noite mal dormida. As garotas sorriram uma para a outra. Elas precisavam de toda a confiança que conseguissem reunir para enfrentar o dia que começava.

Clara juntou-se às outras meninas em fila nos corredores para usar os banheiros o mais rápido que podia. Aquele foi seu primeiro encontro com a realidade do gueto: havia apenas dois banheiros no prédio para atender a 350 meninas. As filas eram longas e, do lado de dentro, o fedor dos banheiros, usados além da sua capacidade, era opressivo. De cada lado do banheiro, meninas mais velhas ficavam de plantão, observando cuidadosamente se havia entupimentos ou transbordamentos. Clara respirou fundo, tapou seu nariz e, rapidamente, fez o que tinha que fazer antes de correr para a torneira enferrujada, na esperança de se limpar. Uma água gelada pingou dos canos em bacias pretas fundas. Clara tremeu ao coletar umas poucas gotas e esfregar as mãos e o rosto encardido. Não havia sabão nem toalhas e foi difícil livrar seu corpo do suor e da sujeira do dia anterior. Como ela ansiava pelo banheiro da sua casa, onde o vapor de um banho quente deixaria o lugar todo embaçado. Era como ficar envolta em um macio roupão de névoa.

Clara e Hanna voltaram rapidamente ao quarto para se vestirem e entrarem na fila para o café da manhã. Do lado de fora, Clara mais uma vez avistou Peter e Jacob andando na direção da cozinha. Peter estava esperando por ela daquela vez. Era difícil falar, por causa da presença de tantos guardas. Peter balançou a cabeça na direção dela, como se quisesse mostrar que estava dando conta da situação. Apenas andar perto dele já deixava Clara mais tranquila. Eles caminharam juntos na direção da fila e Peter apontou para frente, onde mamãe estava repartindo a refeição da manhã.

O café da manhã era um pedaço de pão, no qual era passada uma pequena quantidade de manteiga, e uma bebida que parecia café, mas era mais amarga e azeda. "Pelo menos era quente", Clara pensou, tremendo com o frio da manhã. Quando os guardas não estavam olhando, mamãe passou um pedaço a mais de pão para o prato de lata dela, como havia feito na noite anterior. Clara ainda não havia visto o seu pai e isso a preocupava, mas era bom ver a mamãe. Naquela manhã, Clara estava faminta e grata pela comida extra. De volta ao seu dormitório, ela engoliu seu café da manhã com rapidez e foi para perto de suas colegas de quarto, que se juntaram nos beliches inferiores para ouvir Marta falar.

Marta olhou para as novas meninas do grupo. Ela tinha visto o mesmo olhar assustado, incerto e triste com muita frequência. E, todas as vezes, era sua responsabilidade ajudar na adaptação das recém-chegadas à vida no gueto... Ser a líder, professora, babá delas e, com frequência, mãe e amiga. Por um breve momento, ela pensou em sua própria família e onde todos estariam. Eles haviam chegado juntos a Terezin, vindos de Praga, um ano e meio antes. No entanto, os pais de Marta e seus dois irmãos menores foram rapidamente colocados em outro transporte, deixando-a sozinha lá. Como consequência de ter perdido sua família de maneira tão abrupta, Marta passou a amar seu papel como líder do dormitório das meninas.

— Silêncio, todas vocês — ela disse e o quarto rapidamente ficou em ordem. — Para as novas meninas, eu gostaria de explicar um pouco da nossa rotina da manhã. Todas nós sabemos como é difícil, no começo, adaptar-se a ficar longe dos nossos lares e das nossas famílias — ela começou a falar, olhando diretamente para Hanna e Clara.

Todas as garotas acenaram afirmativamente.

— Acreditamos que o melhor remédio para o novo e o estranho é criar algo familiar. Assim, temos a sorte de ter alguns dos melhores artistas, músicos e intelectuais bem aqui em Terezin. Não são verdadeiramente professores, mas oferecem seus talentos para todas as crianças do gueto. Todas as manhãs, após o café, eles vêm aos nossos quartos para dar aulas. São diferentes das aulas nas nossas cidades e são muito especiais. Quem gostaria de explicar a Clara e Hanna como é a nossa escola?

Marta apontou para uma garota chamada Eva, que se levantou.

— Aprendemos a desenhar e pintar aqui e, também, a escrever poesias. Vocês não vão acreditar o quanto é maravilhoso. Os professores são rígidos, mas justos e muito inteligentes.

— Aprendemos História — continuou outra garota. — Não do tipo chato que lemos nos livros da escola. Podemos discutir ideias com um professor que sabe tudo e realmente ouve nossas opiniões.

— Nunca pensei que diria isso, mas minha matéria favorita é Matemática — disse Erika. — Eu realmente aprendi a fazer cálculos de cabeça que nunca pensei que seria capaz de fazer. E, às vezes, jogamos xadrez em vez de aprender a matéria. Nosso professor diz que o xadrez é a segunda melhor maneira de entender as equações matemáticas.

— Eu amo a música mais do que tudo. Aprendi canções tchecas e até canções em hebraico — continuou outra menina. — Montamos peças e recitais e há shows quase toda semana no sótão deste prédio ou do dormitório dos meninos.

Marta viu no rosto de Clara que ela não acreditava.

— Posso ver pela sua expressão que você não acredita que nossa escola é real — Marta interrompeu.

— Não é que eu não ache que essas coisas aconteçam, mas só não entendo como — Clara disse cuidadosamente. — Quero dizer, na cidade, ou seja, na minha cidade de verdade, judeus, como nós, foram proibidos de ir à escola há muito tempo. Por isso, se não podíamos ir à escola quando, supostamente, estávamos livres, como podemos ter permissão para aprender aqui nesta... nesta... prisão? — Clara duvidava de que a escola do gueto pudesse ser tão boa quanto as meninas haviam descrito.

— É uma questão complicada — disse Marta —, deixe-me tentar explicar como Terezin é organizada. Você verá que há muitos guardas tchecos aqui para manter a ordem e garantir que as regras sejam seguidas. Eles prestam contas aos nazistas, que aparecem de vez em quando para inspeções ou visitas surpresa, mas não interferem muito, desde que não haja problemas. A maioria dos guardas tchecos nos deixa cuidar dos nossos assuntos diários sem nos incomodar. Temos de ter muito cuidado com os guardas nazistas. Eles delatam as pessoas ou as punem se quebrarem a menor das regras.

Jacob já havia avisado sobre o nazista chamado Heindl, Clara pensou, enquanto Marta continuava a falar:

— Porém, de modo geral, o gueto é administrado por um grupo de habitantes chamado Conselho de Anciãos Judeus. Eles garantem que as leis sejam executadas de acordo com a ordem dos nazistas.

"De acordo com as regras, não é permitido dar aulas, mas descobrimos que os guardas nos ignoram na maior parte do tempo. Desde que sejamos discretos, raramente alguém interfere. E também descobrimos como aprender de maneira criativa. Eva falou de desenho e pintura. Bem, a verdade é que não temos permissão para ter tintas ou lápis ou até mesmo papel aqui no gueto, mas conseguimos, ao longo do tempo, contrabandear alguns desses materiais. O papel que usamos é reaproveitado de pacotes que às vezes chegam até nós. Não temos livros escolares, por isso, nossa História tem de ser contada de memória. Essas são apenas algumas formas de continuar com o aprendizado."

Clara concordou com a cabeça e, embora ainda tivesse suspeitas, Marta com certeza havia atiçado sua curiosidade. "Tenho de ver isso", ela pensou. Como se estivesse lendo seus pensamentos, Marta se levantou e fez um gesto para que o grupo a seguisse.

— Chega de explicações — ela disse. — É hora de mostrar a vocês o que queremos dizer. Hoje é um dia incomum porque recebemos permissão para ir ao dormitório dos meninos e ter aula de pintura com eles. Vamos, meninas, formem uma fila e me sigam.

Ao ouvir falar do dormitório dos meninos, Clara imediatamente se animou. Talvez eu veja Peter, ela pensou, e Jacob também. Embora Clara mal o conhecesse, havia algo em Jacob que ela achava interessante. Era confiante e esperto. Ele também parecia estar cuidando de Peter e isso bastava para fazer dele um aliado valioso. Como era esperado, assim que elas entraram no dormitório dos meninos, Clara viu os dois, sentados um ao lado do outro sobre caixas. Rapidamente, eles fizeram um sinal para que Clara e Hanna fossem para perto deles e abriram um espaço para elas.

Clara segurou a mão de Peter e apertou-a com força. Era a primeira vez que ficava junto de seu irmão desde que haviam sido mandados para quartos separados. A mão de Peter estava fria e os olhos estavam fundos e sem brilho. Vendo-o de perto, Clara teve medo de começar a chorar novamente. Como não queria assustar Peter, ela mordeu seu lábio e sorriu corajosamente.

— Ele está bem — disse Jacob e Clara sorriu agradecida para ele também.

Ela olhou ao redor, observando as crianças mais velhas que se puseram de guarda na porta. Marta havia explicado que, se os guardas aparecessem, todos deveriam parar o que estavam fazendo, esconder os papéis e fingir estar cantando ou brincando. Todos ficariam em perigo se não tomassem cuidado.

— Silêncio, crianças — disse uma mulher de meia-idade que estava em pé na frente do quarto. Ela era bem pequena e gorda e tinha cabelos grisalhos e curtos. Seu rosto vivo e animado lembrava a avó de Clara, que morrera havia muitos anos. Seu nome era Friedl Dicker-Brandeis. Marta havia explicado que ela era uma artista tcheca famosa. Ela e os outros líderes começaram a distribuir papéis de embrulho de todos os tamanhos, formatos e cores, dizendo à turma que começasse a desenhar. Clara foi para a longa mesa no centro do quarto, pegou um lápis perto dela e começou seu desenho. Com cuidado, ela desenhou a paisagem de Praga, com o rio fluindo pelo centro da cidade. Acima das altas torres de campanário e castelos, ela desenhou o pássaro do seu sonho, as asas abertas, os olhos apontados para frente, como se procurasse sua casa. Clara desenhou a cidade que ela conhecia e amava. De alguma forma, esse exercício a consolava. Logo, ela estava completamente perdida em seu trabalho e mal notou a professora parada ao seu lado. Clara olhou para cima quando a professora colocou a mão no seu ombro.

— Vejo que temos uma artista promissora aqui — ela disse, olhando a ilustração de Clara. — Você é uma das meninas novas, certo? Clara?

Depois, ela foi até Hanna e parou para dar as boas-vindas a ela e a Peter.

Clara observou a professora caminhar pela sala, parando em frente a outras crianças e balançando a cabeça em sinal de aprovação ou dando sugestões. O tempo voou e logo era hora de parar. Clara não queria que a aula acabasse. Como aquele lugar era estranho, ela pensou, olhando ao redor. Lá estava ela, a quilômetros de casa, separada de sua família e presa em um gueto. Ainda assim, ela teve mais prazer naquele momento do que havia experimentado em um longo tempo. Clara sabia que, se as outras aulas fossem como aquela, ela iria gostar daquela escola.

Os líderes de quarto reuniram os desenhos, removeram rapidamente um painel de madeira da janela e colocaram os materiais no seu esconderijo. As crianças mais velhas faziam vigia na porta, prontas para alertar o grupo se os guardas aparecessem.

Peter ficou sentado olhando seu papel. Ele havia pintado um quarto completamente preto. De repente, sem aviso, Peter amassou o papel formando uma bola e arremessou-o furiosamente pelo quarto. Cruzando os braços, ele se jogou no seu assento, a cabeça enterrada no peito.

— Peter, você está bem? — Clara perguntou, aproximando-se dele e tentando levantar sua cabeça.

Ele empurrou a irmã com agressividade e baixou a cabeça novamente, cobrindo os olhos com as mãos.

— Deixe-me em paz. Apenas deixe-me em paz — Peter gritou e saiu correndo do quarto.

Marta, observando da frente do aposento, aproximou-se de Clara para levá-la a um canto.

— A adaptação demora um tempo, Clara. E é diferente para cada um aqui. Algumas crianças se acomodam rapidamente, enquanto, para outras, o processo é muito mais longo.

Ela podia ver o olhar de dor e confusão no rosto de Clara. Era tão difícil para essas crianças, Marta pensou, principalmente no começo. Porém, ela sabia que eles iriam se adaptar. Todos tinham de fazer isso, não havia escolha.

— Se ao menos o Peter conversasse, mas ele nunca diz nada. Ele simplesmente fica nervoso e sai correndo.

Clara lembrou-se das centenas de vezes que o tinha visto explodir e se afastar quando estava incomodado ou chateado com alguma coisa. Ela contou a Marta sobre a vez em que o papagaio de Peter havia morrido. Ele amava aquele pássaro e havia despendido horas ensinando-o a falar e a fazer truques, como postar-se em seu ombro ou voar até ele quando era chamado. Certo dia, quando ele acordou, o pássaro estava morto, deitado no chão da gaiola, na cozinha. Peter não disse uma só palavra para ninguém. Ele simplesmente correu para o seu quarto e bateu a porta. Clara o ouviu socar o travesseiro, mas, quando tentou entrar no quarto, ele gritou para que ela saísse. Ele ficou lá dentro a maior parte do dia.

— Sei que ele está assustado — Clara continuou. — Todos nós estamos, mas Peter simplesmente afasta todo mundo. Eu não sei o que fazer.

— Você não precisa fazer nada. Conversar, como você faz, é bom, mas, às vezes, não conversar é tudo de que uma pessoa precisa. Peter fará o que for melhor para ele e tem sorte de você estar aqui para cuidar dele.

— Vamos — disse Jacob, colocando os lápis e desenhos em uma caixa na parte da frente do quarto. — É hora do almoço.

7

O ATAQUE

Clara entrou na fila para a comida. Ela se alegrou um pouco quando pensou que veria sua mãe novamente. Daquela vez, Clara tentaria perguntar sobre papai. Ela não o havia visto ainda e, exceto por mamãe ter contado que ele estava trabalhando no hospital, Clara não sabia como estava. A fila era longa, como sempre, e Clara estava impaciente para chegar até a sua mãe. Mas ela finalmente chegou e, com o pouco de tempo precioso que tinha, curvou-se na direção dela e perguntou sobre papai.

— Olhe para a esquerda, Clarichka — mamãe respondeu em um sussurro.

Olhando naquela direção, o coração de Clara deu um pulo. Lá estava papai, andando pela cozinha e procurando freneticamente por sua família. Quando ele avistou Clara, ergueu a mão e acenou. Ele tinha a postura ereta, como se quisesse indicar para Clara que estava bem e queria que ela fosse forte. Lágrimas se formaram nos olhos de Clara, mas ela rapidamente as limpou. Mamãe estava servindo a sopa e passou uma porção extra para o prato da filha.

— Você precisa do máximo de comida possível para manter sua força — ela sussurrou.

Ela procurou bem no fundo da panela uma batata a mais. Enquanto isso, Clara falava sobre a aula de arte daquela manhã e o quanto havia gostado dela. Era maravilhoso conversar com mamãe. Por um momento, Clara esqueceu onde estava. Era como se elas estivessem de volta à cozinha de casa e Clara tivesse acabado de voltar da escola. Era sempre a melhor hora do dia. Quando Clara chegava à sua casa, explodia com notícias e fofocas sobre a escola, os amigos e os professores. Na cozinha, mamãe fazia para ela um lanche enquanto Clara tagarelava sobre os acontecimentos do dia.

Clara e sua mãe estavam tão envolvidas naquele momento, tão felizes de se verem, que não viram o guarda se aproximando. Clara estava ocupada contando sua história e sua mãe estava preocupada, tentando achar uma batata a mais na sopa. Mas, de repente, lá estava ele, rifle na mão, sua enorme figura pairando sobre elas. Clara e sua mãe sabiam que estavam encrencadas. Era Heindl, o guarda nazista de quem Jacob havia falado no primeiro dia, aquele que ela deveria evitar.

— Vocês acham que agora é hora de bater papo? — ele gritou, apontando para Clara. — E você — ele mirou o rifle em mamãe —, você acha que a comida é de graça e você pode dar o quanto quiser? Judias malditas e conspiradoras! Talvez vocês precisem de uma lição sobre as consequências de quebrar as regras.

Sem aviso, ele empurrou Clara agressivamente para o chão. Seu prato de lata voou. O guarda recolheu a perna, pronto para chutá-la, e Clara soltou um grito de terror. Mamãe agarrou o braço dele implorando misericórdia, mas ele a jogou para o lado. Sua atenção estava toda voltada para Clara enquanto ela se encolhia com medo, preparando-se para o ataque, mas, antes que o guarda pudesse bater nela, houve um movimento repentino atrás dele e o som de alguém gritando:

— Não toque nela!

Do meio do nada, Peter saiu voando da multidão de crianças que havia se juntado para ver a cena. Ele se jogou sobre o guarda, desequilibrando-o.

— Saia de perto dela! — Peter gritou, fincando o pé com firmeza na frente do guarda, os punhos levantados em frente ao rosto como se fosse um boxeador encarando seu adversário no ringue.

Por um momento, o guarda ficou atordoado e parou, balançando a cabeça. Era quase cômico. Quem era aquele fedelho judeu que desafiava a sua autoridade? No início, o guarda ficou com uma expressão de surpresa, depois, quase parecia estar se divertindo e, por fim, ficou carrancudo e nervoso. Ele levantou a mão e deu um tapa pesado no rosto de Peter. O impacto arremessou Peter e o fez cair no chão perto de Clara. O guarda caminhou rapidamente na direção de Peter e ficou andando em volta dele, pronto para golpeá-lo com seu rifle. Nessa hora, outro guarda que estava por perto se aproximou.

— Deixe-o, Heindl. Ele é apenas uma criancinha, não vale o esforço.

Heindl parou por um instante, como se não tivesse certeza se bateria em Peter novamente ou o lançaria para longe. Depois, sem explicação, o guarda virou-se abruptamente, empurrou a multidão para passar e saiu marchando.

Por alguns minutos, ninguém se mexeu e, depois, foi uma confusão. As outras crianças avançaram, tentando ajudar Peter e Clara a se levantarem do chão. O corpo todo de Clara tremia tanto que ela mal podia ficar em pé. Era um milagre não estar ferida. E Peter! Clara não podia acreditar que seu irmãozinho havia corrido aquele risco para protegê-la. Um vergão vermelho estava se formando na bochecha de Peter, no lugar em que o guarda o havia atingido. Sangue pingava do seu nariz. Mamãe chegou ao lado dos dois em um instante e, de repente, papai também chegou, abraçando os três.

— Meu filho corajoso e tolo — ele murmurou ao agarrar sua família. — Você não percebe que poderia ter sido gravemente ferido?

Peter respondeu suavemente:

— Eu não podia deixá-lo machucar Clara.

— Bem — papai sorriu de volta —, acho que você passou na minha frente dessa vez. Se você não tivesse ido atrás do guarda, eu teria ido. Venha comigo e eu vou cuidar de você.

Papai beijou mamãe e Clara, rapidamente, antes de guiar Peter pela multidão em direção ao hospital. Segundos depois, o grupo se dispersou. Mamãe entregou a Clara seu prato de comida vazio, abraçando-a novamente antes de Marta pegá-la pelo braço e acompanhá-la de volta ao dormitório. Embora não sentisse muita vontade de comer, as outras meninas ofereceram-se generosamente para repartir suas porções de comida com ela. Clara não conseguia parar de tremer. Ela não estava com frio, mas sentia espasmos pelo corpo, como consequência do incidente.

— Respire fundo, Clara — disse Marta, enrolando um cobertor nela. — Você ainda está em choque, é só isso.

Ela e Hanna tentaram consolar Clara, massageando suas costas e seus braços e incentivando-a para que comesse um pouco. Porém, era difícil se acalmar e ela ainda estava preocupada com Peter.

Somente muito mais tarde, à noite, ela conseguiu ver seu irmão. Marta percebeu que Clara precisava ver Peter para assegurar-se de que ele estava bem. Quando ela por fim conseguiu trazê-lo furtivamente para o dormitório das meninas, as outras garotas se reuniram ao redor dele, dando-lhe tapinhas nas costas e parabenizando-o.

— Você é um herói, Peter — Clara disse, com um sorriso carinhoso.

O nariz e a bochecha dele estavam inchados, mas, de resto, ele estava bem. O tremor no seu próprio corpo parou enfim e, embora a memória do incidente com o guarda ainda estivesse fresca, Clara estava começando a deixá-la para trás. Ela estava aprendendo que, para sobreviver em Terezin, era necessário recuperar-se rapidamente dos acontecimentos.

Marta aproximou-se de Peter:

— Acredite ou não, Peter, você teve sorte de sair só com o nariz sangrando. Atacar Heindl daquela maneira poderia ter provocado a sua morte instantânea ou a sua deportação. No futuro, talvez você devesse tentar ser menos heroico.

Peter tocou nos seus ferimentos delicadamente e fez uma careta de dor.

— Acho que foi meio idiota, mas, você sabe — ele disse —, bater naquele guarda fez com que eu me sentisse bem. E, quer saber? Se eles tentarem machucá-la ou machucar a mamãe ou o papai, irei atrás deles de novo! Não deixarei que eles nos intimidem.

Marta ficou parada observando Peter e balançando levemente a cabeça. Ele era tão pequeno e tinha tanto a aprender acerca da sobrevivência no gueto.

8

RECÉM-CHEGADOS

Nos dois meses seguintes, Clara tentou ficar de olho em seu irmão. Na fila para as refeições, ela observava cuidadosamente para ver qual seria o impacto do incidente com o guarda. Clara estava preocupada que Peter fosse se encolher em seu casulo e ficar ainda mais irritado do que antes. No entanto, Peter parecia fortalecido pelo incidente. Quanto a Clara, ela não conseguia esquecer que havia sido derrubada pelo guarda. Ela ficava assustada ao pensar no que poderia ter acontecido a ela e ao irmão, eles todos estavam muito vulneráveis em Terezin.

Para piorar a situação, cinco meninas do seu quarto receberam papéis amarelos ordenando sua deportação do gueto. Seus números estavam escritos com um traço grosso na frente do papel, junto à ordem para se apresentarem na estação de trem às seis da tarde no dia seguinte. Silenciosamente, as garotas foram para suas camas para arrumar suas pequenas malas enquanto as outras evitavam olhar na sua direção. E, também em silêncio, todas as outras garotas do quarto agradeceram por terem sido poupadas daquela vez. Todas pegaram algo que estavam escondendo para dar às meninas que iriam partir: um pouco de chá, uma maçã, um pedaço de pão.

Clara procurou debaixo do seu colchão e foi em direção a Sonia enquanto ela fazia sua mala.

— Eu estava guardando um pouco de chá — disse Clara ao estender a mão. — Quero que fique com ele.

No início, Sonia não queria aceitar, mas Clara insistiu, empurrando o chá para as mãos dela. Sonia chorou baixinho ao pegá-lo e, depois, voltou a preparar a mala sem dizer nada. O choro e os lamentos pelo quarto naquela noite foram mais tristes do que nunca.

Um novo grupo de pessoas chegou ao gueto algumas semanas depois. O trem anunciou sua chegada à estação com um assobio longo e lento. Horas depois, Clara pôde ver, ao olhar pela janela do seu dormitório, uma multidão reunida na praça da cidade. Ela não precisava ouvir as conversas lá embaixo para saber o que estava acontecendo. Os idosos lutavam com o peso das bagagens, malas eram abertas e os objetos queridos eram tirados, pais abraçavam seus filhos antes de serem separados. Era uma cena muito familiar.

Quando Clara, Hanna e as outras meninas voltaram para o quarto depois do almoço, havia dez novas garotas em pé, paradas e incertas, no centro do quarto. Marta imediatamente avançou para se apresentar e dar as boas-vindas às recém-chegadas, assim como havia feito com todos os grupos de meninas novas. Clara analisou os rostos delas, reconhecendo o medo e o choque em seus olhos. Segurando Hanna pelo braço, Clara caminhou até uma das meninas com a mão esticada à sua frente.

— Oi, eu sou a Clara e esta é a Hanna. Bem-vindas ao nosso lar.

— Eu sou a Monica — a menina respondeu, aceitando o cumprimento agradecida e apertando a mão de Clara.

— Não se preocupe, Monica — Clara continuou —, vamos explicar tudo a você. É tudo estranho no começo, mas você irá se acostumar logo. Todas nós nos acostumamos.

Clara se perguntou se era ela mesma que estava dizendo aquelas palavras de boas-vindas. Ela não era mais a novata ali.

Marta rapidamente assumiu o controle, orientando as meninas novas a escolherem beliches e se acomodarem. Ela sabia que todas estavam ansiosas para saber notícias do mundo de fora, mas haveria muito tempo para conversas mais tarde. Primeiramente, as recém-chegadas precisavam desfazer as malas e se acomodar.

Isso já estava começando a causar problemas. O dormitório estava lotado, já estava assim antes de aquelas novas garotas chegarem. Prevendo a chegada delas, vários beliches extras foram levados para o quarto. Para abrir espaço para essas novas camas, a área das prateleiras foi drasticamente reduzida. Em vez de uma plataforma de um metro quadrado para separar cada beliche, o que trazia alguma privacidade, as prateleiras foram cortadas pela metade. Não que as meninas tivessem muitas coisas, era, apenas, que elas estavam sendo cada vez mais espremidas. Estavam literalmente umas em cima das outras e os humores se alteraram. Marta estava tendo bastante trabalho para manter a paz no quarto. Naquele momento, enquanto ela orientava as meninas a encontrarem um lugar para colocar suas coisas, um tumulto estourou no outro lado do dormitório. Uma das meninas novas havia escolhido um beliche inferior perto de Eva, que estava em Terezin havia quatro meses. A menina nova, que se chamava Magda, empurrou as coisas de Eva para um lado da prateleira para abrir espaço para as suas próprias roupas e Eva explodiu.

— Não, você não pode colocar suas coisas aqui! Este é o meu espaço, saia! — Eva gritou, levantando-se para encarar a menina nova.

— Colocarei minhas coisas onde eu quiser, você não é a dona deste lugar — Magda respondeu com audácia.

— Quem você pensa que é, tocando nas minhas coisas e mudando tudo de lugar desse jeito?

— Não grite comigo, você não é a chefe aqui.

Clara, junto com o resto das meninas, já estava em pé, caminhando em direção à briga do outro lado do quarto. No entanto, antes que qualquer uma tivesse a chance de fazer alguma coisa, Marta interveio para mediar a discussão.

— Eva, eu sei que é difícil, mas todas nós temos de mudar nossas coisas de lugar para ceder espaço para as garotas novas — disse Marta, movendo--se gentilmente, até ficar entre Eva e Magda.

— Eu sei, Marta, mas ela nem me pediu. Ela simplesmente jogou minhas coisas para o lado e veja a bagunça que ela fez. Eu tinha um lugar especial para cada coisa e agora está tudo estragado!

Eva estava quase chorando. Clara admirou-se de como meio metro de área passou a representar toda a privacidade que uma pessoa tinha e o quão desesperadamente cada uma precisava se agarrar àquilo.

— Tenho certeza de que Magda não queria estragar suas coisas, não é mesmo, querida?

Marta virou-se para encarar Magda. Como deve ter sido difícil para ela, em seu primeiro dia em Terezin, lidar com todas as novidades daquele ambiente e ainda enfrentar uma briga também.

— Eu... eu sinto muito. Eu não sabia... Eu só preciso de um local para as minhas coisas.

Magda mordeu o lábio, também parecia que iria chorar.

— Pronto, você viu, Eva? Ninguém está tentando tomar seu espaço de propósito. Deixem-me ajudá-las a descobrir onde suas coisas podem ficar, para que haja lugar para tudo. E, se não couber tudo aqui, encontraremos outro espaço, eu prometo.

Com isso, Marta conduziu as duas meninas para o beliche e começou a separar os pertences delas enquanto Clara e as outras voltavam para as suas próprias camas. Marta deu um suspiro fundo, outro desastre havia sido evitado por ora.

Monica, a menina nova, estava desfazendo a mala, tomando cuidado para que suas coisas coubessem no pequeno espaço que tinha. Clara aproximou-se, imaginando que ela poderia falar o que estava acontecendo fora de Terezin.

— Posso me sentar? — Clara perguntou, apontando para a cama.

Monica fez que sim com a cabeça e tirou sua mala para desocupar o espaço.

— Você também é de Praga?

Monica concordou novamente.

— Eu estava pensando... O que está acontecendo em Praga estes dias?

— Nada de bom — disse Monica e, com aquela afirmação simples, a esperança de Clara de ouvir boas notícias se evaporou. — Há poucos judeus ainda na cidade e, a cada dia que passa, fica mais perigoso andar nas ruas. Há gangues de garotos que simplesmente ficam esperando nas esquinas com nada melhor para fazer do que importunar judeus idosos. Meu tio apanhou de um bando de brutamontes algumas semanas atrás. Ele poderia ter sido morto se uma pessoa não tivesse chegado e assustado os garotos. O pior é que ele reconheceu alguns deles como meninos que empregou em sua loja havia algum tempo. Eles o respeitavam na época, o chamavam de "senhor", mas, agora, eles o veem como lixo. É tudo tão horrível, mas pelo menos tivemos sorte de termos sido mandados para cá.

— Sorte! Do que você está falando? — Clara perguntou.

Nos últimos três meses, ela havia ficado presa em um campo rodeado de muros e Monica estava dizendo que ela devia achar que tinha sorte. Não fazia sentido.

— Você não ouviu o que está acontecendo no restante do país e da Europa?

Clara começou a balançar a cabeça lentamente e, depois, com vigor, de um lado para o outro. Ela tinha escutado pedaços de notícias, mas nunca toda a verdade. Havia tão poucas notícias de fora de Terezin. Naquele momento, outras meninas do quarto já estavam reunidas perto da cama de Monica.

— Meu pai tinha um rádio ilegal em casa e escutamos notícias de que o exército alemão está penetrando cada vez mais na Polônia e na Rússia — Monica continuou.

— Você quer dizer que eles estão ganhando a guerra? — Hanna perguntou.

— Quem sabe qual notícia é verdadeira? Mas, se você acreditar nos alemães, eles estão ganhando. E essa é uma má notícia para nós. Todos os dias, mais e mais judeus estão sendo reunidos e transportados para fora de Praga e ouvimos dizer que não é diferente nas outras cidades. É impressionante ainda haver judeus lá.

— Mas para onde todos estão sendo mandados? — Clara perguntou.

Não chegavam transportes a Terezin todos os dias.

— É isso que quero dizer — Monica respondeu. — Você me perguntou por que sinto que tenho sorte? Vou dizer. Dizem que os trens que vão para o leste levam os judeus para a morte. Há campos de extermínio que foram preparados para nos matar.

Lá estava novamente, a temida discussão sobre os campos no leste. Monica parecia saber mais. Ela estava dizendo em voz alta palavras que, até então, haviam sido apenas sussurradas. Talvez, deixar Terezin e ir para o leste significasse morrer.

— Não acredito no que você está dizendo — Hanna interrompeu. — Não é possível que estejam montando campos só para matar os judeus.

— Acredite no que quiser — disse Monica, encolhendo os ombros. — Nada disso foi confirmado, é claro, mas há rumores demais para ignorarmos. Acho que temos sorte de estar aqui.

Clara foi em silêncio para a sua cama, a cabeça girando por causa daquelas notícias perturbadoras. Todos diziam que não era bom ser mandado para longe de Terezin. Jacob havia dito isso no dia em que Clara chegou, mas ninguém entendia, de verdade, o quanto isso era ruim. Ou, talvez, apenas não quisessem enfrentar a terrível realidade.

Não podia ser verdade, Clara pensou. Talvez a guerra não fosse acabar tão cedo quanto ela pensava, mas com certeza os alemães não estavam empenhados em matar todos os judeus. Clara precisava conversar com alguém sobre aquilo, tentar entender. Era em momentos assim que ela sentia falta de seus pais mais do que as pessoas podiam imaginar, mas ela não podia mais ir ao quarto ao lado conversar com eles. Além disso, Clara não queria incomodá-los com mais preocupações. Talvez Jacob fosse alguém em quem pudesse confiar, ele já sabia dos transportes que iam para o leste. Clara queria ver a reação dele àquela notícia, mas precisava pensar em uma maneira de ficar sozinha com ele por algum tempo, longe dos olhos vigilantes dos guardas. Quando soou o alarme na manhã seguinte, Clara sabia o que iria fazer.

9

UM PLANO DE FUGA

— Meninas — Marta chamou na manhã seguinte —, quero que formem uma fila para eu examinar os seus cabelos.

Altos gemidos responderam à sua instrução. Os piolhos eram muito comuns no gueto e, se fossem ignorados, poderiam causar infecções terríveis e levar as pessoas a adoecerem de tifo, uma doença fatal. As líderes dos dormitórios faziam turnos para verificar as cabeças das meninas quase todo dia. Clara vestiu-se rapidamente e ficou na fila com as outras, esperando pela sua vez na inspeção.

Na frente dela estava Hanna, coçando as protuberâncias vermelhas e inchadas nos seus braços e no seu pescoço.

— Olhe esses vergões — ela disse com tristeza. — Não sei o que é pior, os piolhos ou os outros insetos nas nossas camas. Veja, eu contei trinta e seis mordidas em um braço!

Clara sabia exatamente do que ela estava falando. À noite, quando as luzes eram desligadas, Clara jogava-se na sua pequena cama tentando fechar os olhos para os bichos que viviam no colchão de palha. De manhã, as mordidas e protuberâncias em seu corpo eram a evidência de que os insetos haviam feito um banquete enquanto ela estava dormindo.

A fila caminhava lentamente enquanto Marta e outras duas líderes de quarto penteavam cuidadosamente os cabelos de cada menina com um palito estreito e afiado.

— Eu estava com tanto calor esta noite — Hanna reclamou. — Até tentei dormir no chão porque pensei que estaria mais frio lá embaixo. Como me arrependi!

O verão estava chegando e Clara havia sido alertada sobre os efeitos dessa estação no gueto. Com pouca ventilação, os quartos ficavam sufocantes de tão quentes.

— O que aconteceu? — Clara perguntou, dando um passo à frente na fila.

— Acho que um rato correu pelo meu rosto! Eca!

— Foi você que gritou à noite? — Clara perguntou. — Pensei que a Erika estivesse tendo pesadelos de novo.

— Ele me assustou tanto que eu pulei de volta para o meu beliche — Hanna estremeceu.

— Eva — Marta disse mais adiante —, a quantidade de piolhos não está tão ruim ainda, mas você terá de lavar seu cabelo com petróleo para garantir que não piore.

Por toda a parte, as meninas torceram o nariz e olharam para o outro lado. A gasolina tinha um cheiro tão ruim que ninguém queria ficar perto da pessoa depois que ela era desinfectada. Ainda assim, era melhor do que a alternativa. Se lavar o cabelo com gasolina não funcionasse, a única escolha era cortar o cabelo o mais curto possível.

A fila foi refeita e muitas outras meninas foram mandadas para o lado de fora para lavarem o cabelo com petróleo também. Todas sentiam pena de Eva e das outras, mas sabiam que, uma hora ou outra, chegaria a vez delas. De algumas coisas, não é possível escapar.

Depois da inspeção nos cabelos, Clara passou para a fila do banheiro. As rotinas estavam se tornando surpreendentemente familiares. Embora o dia estivesse úmido e quente, Clara tremia com o ar da manhã e tentou lavar a sujeira e a areia da sua pele e das suas roupas. Mas a água fria que pingava mal dava conta.

— Preciso tanto de um banho — Clara disse para Hanna.

— E não precisamos todas nós? — ela respondeu, olhando as manchas de sujeira nos seus braços e pernas. — Talvez a gente consiga tomar um banho esta noite. Ouvi dizer que vamos ganhar porções de sabonete ainda hoje.

— Não vai ajudar muito, a água estará fria e ficaremos imundas novamente em pouco tempo. Simplesmente não é possível ficarmos limpas.

Depois do café da manhã, as meninas voltaram para o quarto para terem aulas e, depois, nas duas horas seguintes, ficaram deitadas quietas em suas camas, esperando que o tempo passasse. Esses eram os momentos mais difíceis, horas sem nada para fazer exceto ficar no quarto e inventar maneiras de se manterem ocupadas. Algumas das meninas jogavam damas ou xadrez em tabuleiros grosseiros feitos à mão. Havia uma mesa de pingue-pongue no corredor. Era velha e estava quase se desfazendo e as raquetes estavam muito ruins, mas, pelo menos, era algo para fazer. E, com certeza, era bem melhor do que aquilo que os adolescentes mais velhos tinham de fazer. Depois dos dezesseis anos de idade, as crianças eram colocadas para trabalhar com os homens e as mulheres, transportando lixo por Terezin, construindo banheiros ou guaritas com equipamentos inadequados, limpando as ruas imundas do campo ou cavando trincheiras. Clara sabia que ficar entediada nos dormitórios era a melhor alternativa.

Ainda assim, outras pessoas dormiam, a melhor fuga de todas. Clara estava deitada em sua cama. Ela queria conversar com Jacob sobre os transportes para o leste, era o único pensamento em sua cabeça. Depois do que pareceu um tempo interminável, Marta finalmente pediu às garotas que fizessem uma fila e saíssem. Havia uma partida de futebol marcada entre dois dos times de meninos mais novos e todas as crianças tinham uma permissão especial para assistir. Clara sabia que seria o lugar perfeito para conversar com Jacob.

— Veja todas essas pessoas — disse Hanna quando elas chegaram ao lugar. — O pátio está lotado. Venha aqui, Clara, teremos uma visão melhor se subirmos naquela parte mais alta para assistirmos ao jogo.

O pátio tinha o tamanho perfeito para uma partida de futebol. Janelas em arcos dos prédios ao redor ficavam de frente para a superfície de cascalho seco do chão e crianças de todas as idades penduravam-se nessas janelas para assistir às atividades lá embaixo. Outros se aglomeravam em lugares onde o solo se elevava, em carroças e em carrinhos de mão virados que estavam espalhados ao redor do campo.

— Irei daqui a pouco — Clara respondeu. — Só estou procurando Jacob.

Hanna encolheu os ombros.

— Se esperar demais, não haverá lugar para você lá também.

Ela saiu com um grupo de meninas enquanto Clara continuava examinando a multidão.

Os jovens jogadores estavam começando a se reunir no pátio para a partida. Peter era um deles. Clara observou enquanto ele se alongava com seus colegas de time, aquecendo-se para o jogo. Desde que Peter havia sido atacado pelo guarda na fila da comida, ele se tornara mais corajoso do que ela jamais havia visto. Ele até conversava mais do que antes. Era impressionante que, naquele lugar de tristeza e confinamento, Peter tivesse, de alguma forma, conquistado confiança. Clara acenou para o seu irmão e o rosto dele se iluminou quando acenou de volta.

— Se você simplesmente ficar aí, não vai conseguir ver o jogo — a voz de Jacob interrompeu os pensamentos de Clara.

— Jacob, eu estava procurando por você em toda parte — Clara estava aliviada por vê-lo.

— Engraçado, você não parece estar procurando por ninguém.

Clara ignorou a provocação.

— Onde podemos conversar? — ela perguntou. — Em algum lugar onde os guardas não nos vejam.

— Este é o melhor lugar — Jacob respondeu com facilidade. — Os guardas vão assistir ao jogo e não vão nem reparar em nós.

Aquilo era verdade. Permissões para eventos esportivos eram raras no gueto, mas, quando eram concedidas, todos que podiam, saíam para assistir, inclusive os guardas. Assistir ao jogo era a distração deles naquela tarde e pareciam gostar da animação desses eventos tanto quanto os prisioneiros.

Ainda assim, Clara olhou ao redor ansiosa antes de contar a Jacob os detalhes da conversa com Monica. Clara contou sobre as condições ruins

em Praga e sobre a notícia de que o exército alemão estava ocupando cada vez mais a Polônia e a Rússia. Ela também contou a ele tudo o que Monica disse sobre os rumores a respeito de campos de extermínio ao leste de Terezin e como era importante não entrar em uma lista de deportação. Jacob ouviu atento e, quando ela terminou, o sorriso dele desapareceu, seu rosto ficou sombrio e seu humor, melancólico.

— Você acha que é verdade? — Clara perguntou, ansiosa.

— É claro que é verdade — ele disse abruptamente.

Clara sentiu um aperto no coração.

— Os nazistas decidiram se livrar de nós, de um jeito ou de outro. Ou iremos todos morrer de fome e doenças ou eles nos mandarão para morrer em outro lugar. De qualquer maneira, eles querem sumir conosco de vez.

Jacob baixou a cabeça e se inclinou para perto de Clara ao sussurrar:

— É por isso que vou sair daqui.

A multidão gritou quando um dos jogadores em campo chutou a bola com força na direção do gol adversário. O goleiro mergulhou, pegou a bola e defendeu o gol no último segundo.

— Do que você está falando?

Os aplausos e os gritos quase engoliram a pergunta de Clara.

— Não quero falar demais.

Clara teve de se inclinar mais para perto de Jacob.

— Quanto menos você souber, melhor. Mas formamos um pequeno grupo e estamos trabalhando em um plano para escapar daqui.

Escapar de Terezin! A ideia era inacreditável e quase impossível. Havia muros fortes de pedra em volta da cidade e um fosso depois deles. Por isso Terezin havia sido escolhida para ser uma cidade de judeus. Guardas, cães e sentinelas estavam de plantão por toda a parte fazendo a vigilância e a chance de escapar sem ser notado era muito pequena. Além disso, para aqueles que tentassem escapar e fossem pegos, a punição era a execução imediata ou deportação. Para que tentar então? Como Jacob podia pensar em arriscar sua vida tendo tão pouca chance?

— Vale a pena arriscar, Clara — Jacob continuou, como se lesse os pensamentos dela. — Você não percebe? Não há nada a perder. Se der certo, estaremos livres deste lugar e, se não der... bem... não deu. Mas eu não vou simplesmente desistir e ficar sentado esperando receber meu pedaço de papel.

Clara ficou atordoada e distraída durante o resto do jogo, quase insensível à agitação no campo. Perto do final da partida, Clara viu Peter pegar a bola de um jogador adversário e começar a correr pelo campo de futebol. A multidão foi ao delírio, gritando para que Peter fosse até o fim. Ele correu pelo campo, driblando todos os jogadores, desviando para um lado e para o outro. Ele era rápido e esperto. No momento certo, ele recolheu a perna e chutou a bola com força na rede, marcando o único gol do time e ganhando o jogo. Um tumulto tomou conta da torcida, que correu para o campo, erguendo Peter nos ombros.

Clara queria pular e aplaudir com o restante das pessoas, mas a sombria realidade da sua conversa com Jacob havia destruído seu entusiasmo. À medida que as pessoas foram se dispersando em direção aos quartos, Clara virou-se para o seu amigo:

— Não sei o que dizer a você, Jacob. Estou muito assustada com seus planos.

— Você não precisa dizer nada, mas apenas pense no que estou dizendo a você. Nenhum de nós está a salvo aqui. Demorarei algum tempo para definir os detalhes, portanto, ficarei por aqui mais um pouco. Estou contanto isso em segredo porque somos amigos. É claro que confio que você não vai deixar escapar nenhuma palavra sobre isso para ninguém.

Clara confirmou com a cabeça.

— Tenha cuidado, Jacob. Eu não quero que você se machuque.

Jacob olhou para ela atentamente.

— Não se preocupe, Clara. Não farei nenhuma coisa estúpida.

10

MÚSICA EM TEREZIN

O dormitório de Clara borbulhava com a animação da partida de futebol e o gol incrível marcado por Peter.

— Você o viu correr, Clara? — perguntou Hanna, seu rosto vermelho de agitação. — Você sabia que ele jogava assim?

Distraída, Clara assentiu, mas não estava prestando atenção. Embora estivesse orgulhosa de seu irmão, não conseguia parar de pensar na conversa com Jacob. Clara estava confusa e perturbada com tudo o que ele havia dito. Não apenas seus maiores medos, sobre as deportações para o leste, foram confirmados, mas ela também estava preocupada com o plano de Jacob para escapar do gueto. Ela não conseguia se livrar da sensação de que ele estava errado em tentar fugir. Não poderia dar certo e os perigos eram enormes. Ao mesmo tempo, Clara ansiava por sair do gueto também. Ela não sabia se deveria convencer Jacob a abandonar seu plano maluco ou implorar para ser incluída nele. Enquanto isso, ela não iria dizer uma só palavra a ninguém, nem para Hanna e, com certeza, nem para Marta. Nisso Jacob podia confiar.

Hanna passou por Clara para entrar na fila para o jantar.

— Não se esqueça de que iremos ver aquela ópera hoje à noite — ela disse.

Clara sacudiu a cabeça. Ela não queria pensar em planos de fuga naquela noite, iria ver a ópera *A flauta mágica* de Wolfgang Mozart e não queria que nada estragasse isso.

Terezin transbordava de poetas e artistas talentosos. Quase todas as noites, os habitantes eram presenteados com uma seleção de leituras de professores famosos, concertos de músicos célebres ou apresentações de artistas conhecidos. Os guardas raramente interferiam nas atividades culturais ou recreativas do gueto e esses eventos eram quase sempre aprovados.

Quando Clara e Hanna chegaram ao sótão onde a apresentação iria acontecer, ele estava quase cheio. Elas tiveram de se esforçar para achar onde sentar. Uma parte do sótão havia sido transformada em um palco improvisado completo, com cenário pintado à mão e uma cortina esfarrapada. Os artistas, cantores conhecidos de Praga, vestiam figurinos feitos com pedaços de tecidos recolhidos das roupas que sobravam no gueto. O cenário com poucas peças não podia tirar a beleza da ópera. Na história, o herói supera o cruel vilão e liberta sua amada tocando uma flauta mágica. A apresentação trouxe esperança para Clara.

"Dê um instrumento musical para mim", ela sonhou, "e eu irei usá-lo para libertar todos deste lugar". Como podia haver coisas lindas no gueto, como aquela ópera, se os nazistas estavam planejando matar todo mundo? Assistindo à apresentação, Clara simplesmente não podia pensar na possibilidade de morte. Ela queria viver, ela queria voltar para casa. Talvez escapar de Terezin fosse a solução afinal.

A música levou Clara ainda mais longe em pensamentos consoladores. Naquele momento, ela esqueceu Jacob e a fome e os insetos na cama. Isso era incrível em Terezin, em um minuto, as pessoas estavam bravas e assustadas e, no minuto seguinte, estavam ansiosas por alguma coisa. Era possível odiar e apreciar um lugar ao mesmo tempo? Clara deu um longo suspiro quando a música acabou.

— Eu poderia ouvir música para sempre — ela disse. — As vozes deles eram incríveis. A música soava assim tão doce em nossa cidade?

— Provavelmente, mas nunca prestamos tanta atenção a ela — Hanna disse, pensativa. — Vamos — ela começou a caminhar na direção da porta —, é melhor voltarmos antes de os guardas começarem a verificar as ruas. Você sabe, eles não nos dão muito tempo para retornarmos aos dormitórios quando essas apresentações acabam. Clara, o que você está olhando?

Clara havia parado no topo da escada, bem em frente a um anúncio recém-colocado na parede do sótão. Ela não havia reparado nele antes da ópera, quando correram para se sentarem. Naquele momento, com o sótão esvaziado, ela não conseguia tirar os olhos do pôster. Ele dizia:

TESTES PARA A ÓPERA *BRUNDIBÁR*!

A serem realizados na quarta-feira às 18 horas
No sótão do barracão Dresden
Meninos e meninas de 8 a 18 anos são bem-vindos

— O que você está olhando? — Hanna perguntou novamente ao subir as escadas atrás de sua amiga.

— Hanna! — Clara gritou, animada. — Você leu isto? Uma ópera será apresentada e estão procurando crianças para fazer parte dela. Você e eu vamos fazer o teste!

— Você está louca? Eu não vou cantar em frente a um monte de pessoas.

— Vou contar para Jacob também. Ele diz que costumava cantar em um coral na sua cidade. Quais serão os papéis e quantos serão os protagonistas? Bem, acho que não importa, desde que todos nós possamos cantar.

Clara nem havia escutado Hanna, ela estava muito envolvida na ideia de se apresentar em uma ópera.

— Você ouviu o que eu disse? De jeito nenhum eu vou ficar parada em frente ao público e cantar — Hanna repetiu o que havia dito, com mais força.

— Do que você está falando? — Clara franziu as sobrancelhas para sua amiga. — É claro que você vai tentar. Eu sei que você sabe cantar, Hanna, então não tente dizer que não sabe. Nós duas já cantamos juntas em concertos na escola, com muitas pessoas assistindo.

— Clara, aquilo era diferente. Cantamos para os nossos pais, não para um monte de estranhos.

— Hanna, qual é a diferença? Cantar é cantar, não importa onde nem quem está ouvindo. Ó! Por favor! Diga que você irá comigo.

Clara nem sabia sobre o que era *Brundibár*. Porém, não importava. Depois da incrível experiência daquela noite, ela sabia que, se fosse como as outras apresentações em Terezin, seria maravilhosa. E a oportunidade de trabalhar com músicos talentosos era especial. Quanto a Clara, ela adorava cantar. Ela poderia cantar sozinha, para apenas uma pessoa ou para um grupo inteiro. Fazer parte daquela ópera era exatamente o que ela estava esperando em Terezin, algo emocionante para tirar sua cabeça do fedor, da sujeira e da falta de comida, sem falar da ameaça das deportações. Ela estava determinada a fazer o teste.

Clara colocou o braço em volta dos ombros de Hanna.

— Hanna, você e eu vamos fazer o teste para *Brundibár* — ela repetiu, devagar e com cautela. — E Jacob também, depois que eu contar a ele a respeito disso. Nós três faremos parte dessa ópera. Acredite, iremos nos sair muito bem.

11

O TESTE

Não foi muito difícil convencer Jacob a fazer o teste para a ópera *Brundibár.* Quando ele ficou sabendo que as crianças iriam fazer parte da apresentação, ele disse a Clara que podia contar com ele. Ele não falou muito quando ela mencionou seu plano de fuga, disse que faria parte de qualquer coisa que fosse interessante no gueto. Clara sabia que não deveria forçar muito o assunto.

Juntos, eles incentivaram Hanna até que ela não teve escolha, a não ser ir também. Ela não estava muito animada com a ideia, mas se dispôs a tentar. Até Peter disse que talvez fosse com eles, mas, no último minuto, pediu desculpas porque estava com uma tosse incômoda. Todos sabiam que era importante cuidar bem de uma tosse para garantir que não piorasse.

Na noite da quarta-feira seguinte, Clara, Hanna e Jacob foram até o sótão do barracão Dresden. Pelo menos uma dúzia de crianças já estava lá quando eles chegaram. Mais crianças apareceram nos minutos seguintes e, em pouco tempo, o lugar estava cheio.

— Ouvi dizer que o compositor da ópera, Hans Krása, está aqui em Terezin — Clara sussurrou para acabar com a tensão. — A ópera foi apresentada no orfanato em Praga. Parece que foi um grande sucesso lá.

— Lembro de ter ouvido a respeito dela — Jacob respondeu, lembrando-se dos seus dias no orfanato —, mas nunca pude vê-la. Estava muito entretido com outras atividades. Acho que estou menos ocupado atualmente — ele acrescentou com sarcasmo.

— Isto está errado — Hanna resmungou, ansiosa. — Eu não queria estar aqui.

— Hanna, pense desta maneira — Jacob disparou com um sorriso astuto —, se você estivesse no seu quarto agora, estaria limpando seu beliche e lavando o chão. Então, o que você prefere fazer? Esfregar ou cantar?

Hanna resmungou novamente e escondeu o rosto entre as mãos.

— Que escolha terrível.

Logo depois, passos pesados de um adulto foram ouvidos na escada e um homem alto e jovem entrou no sótão.

— Boa noite, crianças — ele disse, fazendo uma reverência formal.

— Boa noite — todas responderam em uma só voz.

— Meu nome é Rudolf Freudenfeld, mas vocês podem me chamar de Rudi. Antes de começarmos os testes, quero falar com vocês sobre a ópera. Ela foi apresentada pela primeira vez no orfanato de Praga, onde meu pai já foi diretor. Eu me lembro de tê-la assistido lá e sei que foi uma experiência maravilhosa, para as crianças que se apresentaram e para o público. Espero que todos vocês tenham a oportunidade de sentir a emoção de participar deste projeto. Agora, deixem-me contar a história. É um conto comovente sobre o bem e o mal. Há duas crianças, que se chamam Aninka e Pepichek.

Assim, Rudi começou a contar a história da ópera. Aninka e Pepichek vão à cidade grande procurar leite para sua mãe doente. Como são pobres, decidem cantar na rua e recolher dinheiro para o leite. Porém, são parados por Brundibár, o maldoso tocador de realejo. As ruas são o seu território e somente ele pode recolher dinheiro tocando seu instrumento. As crianças são perseguidas e expulsas da rua e refugiam-se em um beco. Durante a noite, enquanto estão encolhidas uma junto à outra com medo, aproximam-se três animais, um gato, um cão e um pardal, que oferecem ajuda. Eles reúnem outras crianças da vila e, fortalecidos por terem tantas companhias, Aninka e Pepichek cantam novamente na praça da cidade. As pessoas da cidade doam dinheiro generosamente. Mais uma vez, Brundibár interfere, pronto para roubar o dinheiro das crianças, mas, desta vez, ele é pego e levado embora. As crianças cantam uma canção de vitória sobre o cruel Brundibár e a ópera acaba.

Clara ficou sentada, ouvindo hipnotizada ao conto simples e à sua mensagem inocente, mas importante. Aquela história era como a situação deles no gueto, um grupo de crianças se unindo para derrotar uma pessoa perversa, o cruel Adolf Hitler. Apesar das duras condições de Terezin, os habitantes também se juntavam para ajudar uns aos outros. Podiam estar com fome, com frio ou sujos, mas eram fortes. Agarravam-se à vida, ao aprendizado e às obras de arte como *Brundibár*.

— Agora, crianças — Rudi continuou a falar enquanto andava na direção do piano, no canto do sótão —, eu gostaria de dividi-las em grupos de seis e começar a ouvir suas vozes. Há lindas harmonias nas peças escritas para essa ópera. Assim, precisaremos de crianças que consigam cantar em tom alto e soprano. Quando terminarmos o canto em grupo, aqueles que quiserem fazer o teste para um dos papéis principais podem ficar mais um pouco e eu os ouvirei individualmente.

Rudi era muito organizado e guiou facilmente as crianças para colocá-las em posição para o teste. Ele era firme, mas entusiasta.

Clara olhou para Jacob e Hanna. Ela e Jacob trocaram um aceno de cabeça imediatamente. Eles iriam ficar para o teste dos papéis principais. Hanna revirou os olhos e sua mensagem foi clara, ela ainda estava lá sob pressão. Ficaria no teste para o coro, mas isso seria tudo. É justo, Clara pensou enquanto eles davam um passo à frente até os grupos determinados.

Rudi não perdeu tempo, ele começou com o primeiro verso da ópera, cantado em duas partes: alto e soprano: "Queridas crianças, este é Pepichek...". Cada grupo cantou duas vezes enquanto Rudi movia as crianças para frente e para trás entre o tom mais alto e o mais baixo. Quando ficava satisfeito com o grupo, ele escrevia o nome de cada criança, anotava algo ao lado do nome e o grupo era dispensado. Clara conseguia ouvir que havia vozes fortes no grupo, crianças que obviamente haviam estudado música. Ainda assim, ela estava determinada a tentar o melhor que pudesse. Quando chegou a vez do seu grupo, ela cantou com clareza e brilho. Rudi parou em frente a ela e escreveu alguma coisa ao lado do seu nome. Clara esperava que fosse um bom sinal.

Quando todos os grupos terminaram e saíram do sótão, ficaram cerca de vinte jovens para o teste dos papéis principais. Rudi explicou os papéis aos quais estavam concorrendo. Os dois papéis principais, Aninka e Pepichek, teriam de ser feitos por crianças que tivessem experiência em cantar. Brundibár era um papel maravilhosamente perverso que precisaria de uma voz forte e uma personalidade vigorosa para combinar. Havia vários outros solos também: um leiteiro, um padeiro, um vendedor de sorvetes e um policial. Os outros três papéis principais eram os três animais que cantariam juntos. Alguns papéis eram bastante grandes e outros eram bem pequenos, mas todos eram igualmente importantes, Rudi explicou. Clara olhou o sótão ao seu redor. Pelas expressões nos rostos de todos, estava claro que todos queriam a mesma coisa: o maior papel e a maioria das falas. Quando chegou a vez do teste individual de Clara, ela se aproximou do piano, esfregando as mãos suadas na sua saia, e limpou a garganta nervosamente.

— Vejamos, você é a Clara, certo? — Rudi começou a dizer, olhando para sua folha.

Ela ficou impressionada que ele lembrasse seu nome.

— Por favor, repita esta melodia depois de mim, Clara.

Clara respirou fundo e começou a cantar. No início, sua voz tremeu um pouco, mas apenas por alguns segundos. Era a sua chance de se apresentar e ela estava determinada a não estragá-la. Ela sabia que cantava bem, pois havia se apresentado em dezenas de peças e concertos da escola. E ela adorava cada minuto quando estava no palco.

Clara cantou a melodia depois de Rudi e, depois, pediu que ele a acompanhasse em uma canção popular tcheca. Sua voz ficou mais forte e mais confiante a cada nota. Quando Clara terminou de cantar para Rudi, ele mostrou sua aprovação com um aceno de cabeça e ela voltou a se sentar em seu lugar. Jacob sorriu e bateu palmas em silêncio. Foi então a vez dele de cantar para Rudi. Jacob tinha uma linda voz, ele cantava com facilidade e força. Várias pessoas presentes, inclusive Clara, aplaudiram espontaneamente quando ele acabou. Após todos terem terminado os testes individuais, Rudi se levantou e olhou para o grupo.

— Crianças, sei que todo mundo está ansioso para saber quem irá ficar com cada papel.

Ele fez uma pausa enquanto todos afirmavam com a cabeça.

— Precisarei de alguns dias para pensar nos diversos personagens. Todos nós nos reencontraremos aqui na segunda-feira à noite e eu distribuirei os papéis. Obrigado por terem vindo e nos veremos na próxima reunião.

Clara, Jacob e os outros saíram do sótão e desceram para o ar de início de noite. Clara estava suada e exausta, mas muito alegre ao mesmo tempo. Na animação dos testes, mal havia percebido como estava abafado no sótão. Não existia alívio para o calor opressivo. Clara e Jacob desejaram boa sorte um para o outro pela centésima vez ao dizerem boa noite. "Está fora das nossas mãos agora", Clara pensou. Tinham feito o melhor que podiam e não havia mais nada a fazer além de esperar pelos resultados na segunda-feira.

Hanna estava esperando acordada quando Clara voltou para o quarto.

— Ah, você vai ganhar um bom papel, Clara — Hanna disse, incentivando-a, depois que Clara lhe contou sobre os testes individuais. — Você tem uma voz linda. Talvez, se eu tiver sorte, cuidarei da limpeza.

— Ora, Hanna, não seja boba, você estará no coro com certeza. Pense só no quanto vamos nos divertir.

Clara pegou na mão de Hanna.

— Estaremos no palco, com luzes e figurinos e música e maquiagem. Você alguma vez pensou, quando chegamos aqui, que apresentaríamos uma ópera?

— Acho que tudo que tire os nossos pensamentos da fome é uma coisa boa — Hanna concordou.

Clara acomodou-se na sua pequena cama e fechou os olhos. Iria cantar em uma ópera, ela estaria em um palco. Talvez mamãe, papai e Peter pudessem vê-la se apresentar. As visões do público aplaudindo dançaram pela sua cabeça. Bravo, eles gritariam. Mais um! Na segunda-feira, saberei qual será meu papel, ela pensou. Qualquer papel seria bom. Mas, no fundo, Clara torcia por um grande papel principal.

O ANÚNCIO

Os dias se passaram com uma lentidão agonizante. Pelo menos em três ocasiões, Marta teve de estalar os dedos debaixo do nariz de Clara para tirá-la dos seus sonhos. Ela estava perdida em um mundo de música, cenário, maquiagem e figurinos. Certa vez, enquanto varria o chão, ela parou de repente, inclinou-se sobre a vassoura e começou a balançar para frente e para trás, cantarolando baixinho. Seus olhos estavam fechados e ela nem notou as outras meninas juntando-se ao redor dela.

— Ei, Clara — disse Eva, cutucando-a. — Você está bem?

— Hã? O que você disse? — Clara perguntou, saindo do transe. Naquele momento, ela estava fazendo reverências para a plateia, que aplaudia de pé.

— O que há de errado com você? — perguntou outra garota. — Está se sentindo mal? Marta disse que você pode estar com febre. Quer ir à enfermaria?

Clara gargalhou em resposta à preocupação estampada nos rostos de suas colegas de quarto.

— Acreditem, não estou doente. Basta me ignorarem e eu ficarei bem.

Voltando a varrer, ela tentou, com dificuldade, manter a concentração. Porém, os pensamentos a respeito da ópera a dominavam. Clara entendia por que *Brundibár* havia se tornado tão importante para ela. De alguma forma, no gueto, isso representava uma fuga. Não do tipo em que Jacob estava pensando, mas, talvez, tão importante quanto. Se Clara não podia deixar Terezin fisicamente, então sua mente poderia escapar. A única maneira de se libertar era fazer algo que a envolveria completamente. Era isso que significava para ela participar da ópera. Clara adorava cantar e atuar, mas, mais do que isso, precisava se envolver em alguma coisa importante para ela.

— Ninguém consegue entender por que eu quero tanto fazer isso. Você entende? — Clara perguntou quando ela e Jacob estavam na fila para pegar comida naquele dia.

Parecia que as refeições estavam ficando mais ralas e patéticas a cada dia. Clara estava impressionada por eles conseguirem manter a força. No dia anterior, não ganharam pão nem batatas. Naquele dia, a sopa estava mais rala do que o normal, parecia a água que a mãe usava em casa para lavar os pratos. O estômago de Clara roncou tão alto que ela teve certeza de que todos na fila podiam ouvir.

— Eu não acho que significa tanto para mim quanto para você — Jacob respondeu, pensativo. — Mas eu entendo o que você está dizendo. Todos nós estamos procurando algo que consiga nos animar por aqui. Adoro assistir a partidas de futebol. O campo do pátio é horrível e a bola está se desfazendo, mas, quando estou assistindo, posso fingir que estou de volta a Praga, no estádio da cidade. É o final da temporada e a cidade inteira saiu para animar os times. E, por um momento, eu esqueço que estou em Terezin.

— Exatamente —, Clara afirmou entusiasmada. Jacob sempre a entendia.

— Jacob, você não está ainda pensando naquele plano de fuga maluco, está? Tenho tanto medo de que não funcione.

O medo de Clara baseava-se em histórias que ela havia escutado. Desde que chegara, havia acontecido apenas uma tentativa de fuga do campo. Dois homens conseguiram escalar os muros do forte tarde da noite, mas foram pegos dois dias depois e, imediatamente, colocados em um transporte para o leste. Havia somente uma história de um habitante que conseguiu escapar. Pelo menos, ninguém mais tinha ouvido falar dele.

Jacob baixou o tom da voz:

— Ainda estamos trabalhando nele, Clara. Você não imagina quanta coisa temos que planejar e organizar antes de estarmos prontos. Tantos detalhes para definir, tantas coisas para recolher.

— Como o quê?

Jacob continuou a falar com cautela.

— Bem, como uma corda. Não é exatamente algo que se vê largado por aí pelo campo, mas encontramos uma. Lembra-se daquela guarita que os guardas estavam construindo perto do portão principal? Eles tinham uma longa corda amarrada a um dos pilares para evitar que caísse. Meus amigos e eu escapamos uma noite da semana passada, desamarramos a corda e a escondemos no banheiro.

— Mas é tão perigoso — Clara ficava aterrorizada com os vários riscos que Jacob estava correndo.

— E tão necessário. Então, você vê que estamos chegando lá, Clara. Nós nos encontramos para planejar à noite, sempre que podemos, sem levantar suspeitas. E, quando for a hora certa e nós estivermos prontos, fugiremos. Tenho que sair daqui.

A determinação estampada no rosto de Jacob era evidente.

— Mas, enquanto isso, estou fazendo tudo o que posso para ficar ocupado aqui no gueto, como essa ópera. Então, qual papel você quer? — Jacob perguntou, mudando de assunto.

— Ah, eu não me importo de verdade. Qualquer coisa será boa — Clara ainda estava distraída.

— Você é uma mentirosa! — Jacob gritou. — Eu vi seu rosto no teste, você quer um dos papéis principais tanto quanto eu.

O rosto de Clara ficou vermelho enquanto ela gaguejava uma resposta.

— Não, não quero... Isso não é verdade... Eu nunca disse que queria um papel importante.

— Você não precisa dizer nada. Eu acho que conheço você, Clara.

— Bem, talvez fosse bom ganhar algumas falas — ela admitiu com um sorriso. — Olhe, eu carrego lixo se isso me colocar na ópera, e sei que você também.

Jacob deu risada.

— Não, é a Hanna que acha que vai carregar lixo. Eu e você estaremos no palco e aposto que ela também, quer queira, quer não.

O domingo finalmente passou e Clara se viu caminhando em direção ao sótão do barracão Dresden na noite de segunda-feira, com Jacob e Hanna. O coração de Clara batia tão forte que ela pensou que iria sair do seu peito. Os três amigos subiram as escadas para o sótão junto das mesmas crianças que estiveram lá na quarta-feira anterior e esperaram Rudi chegar. O ar estava carregado de animação e risadas nervosas. Eles não tiveram que esperar muito, Rudi entrou no sótão carregando seu bloco de notas e partituras. Junto dele estava outro homem que imediatamente tomou seu lugar ao piano.

— Boa noite, crianças.

Mais uma vez, ele se dirigiu ao grupo com formalidade.

— Boa noite — todos responderam com educação.

“Vamos terminar com isso”, Clara pensou.

Como se adivinha-se os seus pensamentos, Rudi folheou suas anotações.

— Não irei deixá-los ansiosos por mais tempo. Lerei seus nomes e os papéis que terão na ópera. Lembrem-se, crianças, vocês todos são talentosos e fizeram um ótimo trabalho durante os testes. Se eu pudesse, daria a todos um papel principal. Lembrem-se disso.

Rudi começou a chamar os nomes em ordem alfabética e, minutos depois, os resultados estavam revelados. Hanna estava no coro. Ela sorriu para Clara, obviamente feliz com aquele resultado. Jacob foi convidado para fazer o policial, era um papel perfeito para ele e seu jeito confiante era justamente do que o papel precisava. Quanto a Clara, ela seria um dos três animais, o pardal, e não poderia ter ficado mais feliz!

Com pouco tempo para digerirem o impacto dos anúncios, Rudi começou o ensaio. Primeiramente, as peças do coro tinham de ser ensinadas. Solos e atuações principais viriam depois. Não havia cópias do roteiro, então cabia a Rudi ensinar os papéis. Clara e os outros teriam de aprendê-los com a memória. Eles cantaram até tarde da noite e, quando Clara saiu do sótão, todos pareciam exaustos, mas felizes. Até Hanna estava satisfeita, enquanto andava na frente cantarolando uma das canções em voz baixa. Jacob caminhou ao lado de Clara.

— Nunca vou conseguir acordar quando as sirenes tocarem amanhã — Clara resmungou. — Mas estou sentindo um cansaço tão bom.

— Bem, minha noite ainda não acabou — disse Jacob com uma sobriedade que quebrou a animação da noite. Clara lançou um olhar cortante em sua direção, ela sabia que ele estava falando da fuga.

— Quando uma reunião é marcada, todos nós temos de ir — Jacob virou-se para encontrar os olhos de Clara. — Eu disse a você que havia muito a ser feito.

Não havia nada a dizer a Jacob, assim, ele e Clara caminharam em silêncio. Os pensamentos de Clara passavam em alta velocidade. Por um lado, ainda estavam agitados com a animação do ensaio de *Brundibár*. Por outro lado, ela ficava apavorada por causa de Jacob e o perigo no qual ele estava se colocando. E tudo isso era complicado por uma ansiedade que ela mesma sentia, desejando sair de Terezin.

À frente, dois homens estavam empurrando um carrinho de mão, lutando contra o peso dele. Clara sabia que, embaixo do lençol sujo estavam os corpos dos habitantes que haviam morrido naquele dia, por doença ou fome. Seguindo o carrinho, iam as famílias daqueles que haviam morrido. Com as cabeças baixas, eles se arrastavam na direção do portão principal. A visão desses carrinhos sendo levados pelas ruas do gueto havia se tornado tão comum, que Clara não virava mais o rosto para o outro lado quando eles passavam. Às vezes, ela pensava que talvez eles tivessem sorte, não sofreriam mais.

Clara virou-se para dizer boa noite a Jacob antes de ela e Hanna subirem as escadas para o quarto e desaparecerem lá dentro.

13

A REUNIÃO DE JACOB

Jacob observou Clara e Hanna entrarem em seu quarto e, depois, ele também caminhou para o seu dormitório e subiu no seu beliche. No entanto, ele sabia que dormiria pouco naquela noite. Jacob ficou acordado por muito tempo, esperando que seus colegas de quarto se acomodassem e que a respiração deles ficasse regular. Depois que os barulhos ao seu redor pararam, ele esperou mais um pouco, somente para ter certeza de que ninguém se mexia. Por fim, Jacob se sentou e, em silêncio, saiu do seu beliche. Era uma vantagem os líderes de quarto das crianças mais velhas dormirem em quartos separados. Jacob não tinha tirado a roupa, assim, foi fácil pegar os sapatos na prateleira, sair do quarto e descer as escadas na ponta dos pés, até sair para a escuridão da noite.

Quando estava do lado de fora, Jacob olhou ao redor com cautela, verificando se havia guardas por perto, mas o caminho parecia livre. Ele passou a mão pelo cabelo, tentando acalmar o frio na barriga, que sempre sentia antes de uma daquelas reuniões. Ele sabia bem os perigos envolvidos no que estava planejando.

Respirando fundo, ele partiu pelas ruas desertas de Terezin. Embora estivesse uma escuridão completa do lado de fora, Jacob sabia o caminho. Apesar das regras que proibiam os habitantes de sair após escurecer, ele muitas vezes se esgueirou por Terezin depois do toque de recolher. Era como um jogo para ele, desviar dos refletores, ver por quantos guardas conseguia passar sem fazer barulho.

Ele escapou para ainda mais longe da segurança dos dormitórios. Mais para dentro do gueto, depois dos barracões, contornando a cozinha e por trás da enfermaria. No seu quarto, Clara, e as outras, provavelmente já estavam em um sono profundo, seguras, por enquanto, Jacob pensou. Porém, por quanto tempo ficariam assim, quando, todos os dias, mais e mais pessoas eram mandadas embora nos transportes? No dia anterior, cinco meninos do seu quarto haviam recebido os papéis amarelos. Jacob ficava assustado ao pensar em escapar do gueto, mas ainda mais assustado com a alternativa. Ele parou para encostar suas costas em uma parede e um feixe de luz, procurando por infratores, passou perto dele.

Todos os barulhos o faziam dar um pulo: o latido de um cão, uma pedra sendo chutada. Havia alguém tossindo no escuro? O som de passos atrás dele o assustou. Desesperadamente, ele tentou tirar os medos dos seus pensamentos, mas, assim como os insetos que rastejavam para sua cama à noite, o medo continuava voltando.

Jacob finalmente chegou ao pequeno prédio na periferia do gueto. Era um velho armazém, deserto naquela época a não ser por alguns barris vazios. Depois de parar para verificar se havia alguém atrás dele, ele rastejou para dentro e foi em direção a uma pequena porta nos fundos. Jacob bateu na porta usando um código: duas batidas curtas seguidas por mais três, mais lentas e espaçadas. Do lado de dentro, houve uma confusão de passos. Depois, a porta foi aberta com um barulho e Jacob passou para a escuridão do pequeno quarto. A porta foi fechada atrás dele e só então uma pequena luz foi acesa, lançando um brilho fantasmagórico pelo local. Jacob olhou ao redor, esforçando-se no escuro para ver os rostos dos três jovens que eram os mentores do plano de fuga.

— Você está atrasado — disse um dos homens, fazendo um gesto para Jacob se sentar no chão.

Ele balançou a mão no ar quando Jacob começou a explicar o seu atraso.

— Deixe para lá. Há muito a fazer e pouco tempo.

Jacob sabia pouco sobre os homens que faziam parte daquela ação, somente os primeiros nomes deles: Erik, John e Eli. Erik tinha cerca de vinte anos, era alto e tinha cabelos e olhos escuros. Ele era o líder, estava em Terezin havia mais de um ano. Durante esse tempo, viu seus pais e irmãos mais velhos serem deportados para campos no leste. Ele estava determinado a não ter o mesmo destino. John também tinha cerca de vinte anos, ele mancava porque havia apanhado depois de ser pego roubando pão da cozinha. Como Erik, Johh estava em Terezin havia mais de um ano. Eli era um ou dois anos mais novo que os outros. Ele era primo de John e mais amigável que os outros dois. Jacob gostava mais de Eli do que dos outros. Mais informações a respeito daqueles homens não tinham importância, a única coisa que importava era o objetivo em comum: fugir do gueto e conquistar a liberdade o mais rápido possível. Jacob podia ver a determinação no rosto de cada um. Ele era o mais novo do grupo e eles se perguntavam se ele estava tão confiante com a fuga quanto eles.

O homem que havia falado curvou-se para levantar uma tábua solta no chão. Colocando a mão por baixo dela, tirou uma folha de papel amarrotada e manchada e a abriu, alisando os vincos à medida que a sua mão deslizava, apontando diversos lugares aqui e ali. Jacob reconheceu o esboço aproximado do mapa do gueto.

— Bem, agora já decidimos onde — disse Eli, colocando o dedo em um ponto do mapa, que marcava o muro em volta do gueto.

O lugar escolhido por eles era o mais distante da guarita e estava bem escondido pelos prédios próximos.

— Mas ainda temos que decidir quando. Alguma sugestão?

— Ainda não estamos prontos — disse John. — O importante é o clima estar bom. Grama alta e árvores nos darão mais proteção.

Os outros concordaram e Jacob não disse nada. O frio na sua barriga estava forte. Por fim, Erik virou-se para falar com ele.

— E quanto a você? Você não disse uma palavra esta noite. O que está pensando, Jacob? Você ainda quer sair daqui?

Jacob sabia que queria sair do gueto, ele entendia os perigos envolvidos na tentativa de fuga, mas estava preparado para arriscar sua vida por isso? Essa era a pergunta que o estava afligindo desde que Clara começara a questioná-lo sobre as consequências daquele plano. Ele nunca havia conhecido alguém como Clara. Ela era forte, inteligente e corajosa, mas também era muito prática. Até aquele momento, ele se empenhara em não se aproximar muito de ninguém no gueto. Clara havia mudado isso, ela estava se tornando sua amiga, alguém em quem podia confiar. Ele estava começando a se importar com ela e com o que ela pensava. Jacob sacudiu sua cabeça e fechou os olhos. Ele voltou para o presente.

— Estou pronto — era a voz dele. — Digam quando faremos e eu estarei lá.

— Ele está bem — Eli acrescentou. — Você sabe que ele está nesta.

Erik hesitou mais um pouco, seus olhos pulando atentamente de Jacob para os outros. Depois, concordou acenando lentamente com a cabeça.

— Certo. Quando precisarmos nos reunir novamente, entrarei em contato com vocês. Quando estivermos prontos, mandaremos o sinal para sairmos. Estejam preparados para ele.

Sem dizer mais nada, os três homens se levantaram para encerrar a reunião. A luz foi apagada e a porta, aberta. Um por um, eles se esgueiraram e debandaram para a escuridão, deixando Jacob sozinho.

— Eu posso fazer isso — Jacob sussurrou para si mesmo no escuro. — Esses caras sabem o que estão fazendo, eu confio neles.

Jacob se levantou, abriu a porta e olhou para fora. Um guarda fazia a patrulha a certa distância e Jacob esperou com as costas coladas na parede do prédio. Por fim, o caminho ficou livre e Jacob partiu na direção dos dormitórios. Ele se esquivou para dentro e para fora de passagens, contornou prédios e passou por becos até chegar ao seu dormitório. Caminhou lentamente até seu quarto e voltou para o seu beliche.

14

ENSAIOS

Somente na sexta-feira seguinte, Clara teve uma chance de contar a seus pais e a Peter sobre o resultado dos testes para *Brundibár*. Peter não ficou muito impressionado, mas mamãe e papai mal podiam disfarçar seu orgulho.

— Sabe o que é mais fantástico? — Clara perguntou à sua família quando eles estavam atrás do hospital. — O compositor realmente está aqui em Terezin e ele virá aos ensaios. Eu nunca conheci um compositor antes.

Era raro os quatro conseguirem se reunir assim. Embora as crianças tivessem a oportunidade de visitar seus pais, papai nem sempre podia sair de perto dos seus pacientes, que estavam muito doentes. Ele havia encontrado uma pequena varanda coberta atrás do hospital e ela havia se tornado o ponto de encontro da família. Ele ainda ficava perto dos seus pacientes e a família também podia visitá-lo com um pouco de privacidade.

— Sim, sim — respondeu papai, balançando a cabeça com entusiasmo. — Hans Krása é um músico talentoso, fui a vários concertos dele aqui nos últimos meses. Que privilégio poder apresentar um dos seus trabalhos.

— Não é irônico que, em Praga, apresentações musicais de judeus tenham sido banidas vários anos atrás, enquanto aqui, em Terezin, a vida musical parece prosperar? — mamãe parecia saudosa ao falar isso.

Os pais de Clara assistiam a concertos com frequência em Praga, a música era uma grande parte de suas vidas. Clara e Peter, como muitas crianças da cidade, de sua idade, estudaram piano e foram levados ao teatro várias vezes quando pequenos. As leis que proibiam os judeus de irem a concertos públicos foi um grande golpe para a família.

Mamãe tossiu e Clara de repente reparou em como ela estava pálida e magra. Sua pele estava sem cor, e suas roupas rasgadas ficavam penduradas em seu corpo esquelético. Clara sabia que a vida para os adultos em Terezin era muito difícil. Enquanto as crianças tinham suas atividades recreativas e aulas, os adultos trabalhavam duro durante o dia. As crianças também tinham os melhores alojamentos e mais comida. Essa havia sido a decisão dos Anciãos Judeus, que esperavam manter as crianças vivas e saudáveis enquanto estivessem em Terezin. Clara sabia que os adultos faziam muitos sacrifícios para que os mais jovens tivessem aulas, tempo livre e mais comida. Mas a que custo?

Clara estava preocupada que sua mãe estivesse ficando doente, mas, quando perguntou como ela se sentia, mamãe encolheu os ombros e evitou a pergunta.

— Estou mais interessada em conversar sobre a ópera da qual você falava — ela disse. — Tudo que nos trouxer um pouco de beleza ou de risadas aqui deve ser valorizado.

— Esperamos que a estreia da ópera aconteça daqui a mais ou menos seis semanas — disse Clara, tentando não pensar em doenças. — Isso não nos dá muito tempo para os ensaios, sem falar na preparação de cenários e figurinos, mas Rudi está determinado a apresentá-la até lá.

— Bem, minha querida Clara — disse papai ao colocar o braço em torno da filha —, guarde três lugares na primeira fila para a sua família. Estaremos lá para aplaudi-la.

À medida que as semanas passavam, os ensaios ficavam mais intensos. Depois de três semanas de treino, o elenco recebeu uma notícia maravilhosa: alguns instrumentos musicais, violinos, clarinetes e flautas estavam sendo enviados para o gueto. Algumas pessoas se perguntaram por que eles estavam recebendo esses privilégios. Qualquer que fosse o motivo, de repente, em vez de apenas um piano para acompanhar, haveria uma orquestra adulta. Os músicos de Terezin foram dar suporte ao elenco e Rudi, além de dirigir, também se tornou o maestro.

Com a adição da pequena orquestra, os ensaios ficaram ainda mais emocionantes. Os papéis estavam ficando bons e as harmonias e melodias começaram a parecer música de verdade. O astro do show era um menino chamado Honza Treichlinger, que fazia o papel de Brundibár. Honza deu vida ao cruel Brundibár, executando o papel com muito entusiasmo. Ele franzia as sobrancelhas nos momentos certos, de um jeito que fazia o resto do elenco gritar e rir. Não havia dúvidas de que ele iria roubar a cena com seu desempenho.

Na quarta semana, os cenários estavam sendo montados. Isso exigia muita criatividade e engenhosidade da parte de Rudi e seus ajudantes. Além de terem Rudi e o compositor Hans Krása à disposição, o homem que havia construído o cenário original de *Brundibár,* quando a ópera foi apresentada em Praga, também morava em Terezin. Frantisek Zelenka era o nome dele e ele recebeu a responsabilidade de recriar o cenário lá no gueto. Sob a liderança talentosa dele, o cenário de *Brundibár* começou a tomar forma.

Naquele momento, os ensaios haviam sido transferidos para o barracão Magdeburg, onde o espaço extra e o fosso da orquestra improvisado ofereciam o tipo de cenário necessário para a montagem da produção. O senhor Zelenka e sua equipe começaram a fazer uma cerca de madeira em torno do palco. Atrás da cerca, uma pintura elaborada de uma vila tcheca começou a surgir. Homens, mulheres e crianças dedicaram horas para a criação da pintura, acrescentando elementos de uma vila à cena. Na cerca, eles penduraram três pôsteres. Cada pôster tinha a pintura do corpo de um dos animais — o pardal, o cão e o gato — com um grande buraco onde ficaria a cabeça. Clara e os outros "animais" iriam colocar a cabeça nos buracos quando cantassem. Com muita maquiagem no rosto, Clara sabia que os animais seriam convincentes.

Com mais espaço para se movimentar pelo cenário, o elenco parecia ter mais energia. Cada dia de ensaio trazia mais animação, como no dia em que os figurinos chegaram.

— Venham, crianças, olhem as coisas que reunimos aqui.

Uma mulher fez sinal para que Clara e os outros fossem olhar a grande caixa que ela arrastou para dentro do local de ensaio. Estava cheia de casacos, calças coloridas e chapéus de todos os formatos e tamanhos.

— Onde você encontrou essas coisas? — Clara perguntou ao tirar uma saia estampada da pilha de roupas.

— Ah, aqui e ali — foi a resposta da mulher, enquanto colocava a mão mais no fundo da caixa. — Você ficaria surpresa com o que é possível achar aqui ao fazer as perguntas certas. Ah, cá está — ela disse ao tirar um casaco preto e gasto. — Este será perfeito para Brundibár. E essa saia que você está segurando ficará com Aninka. Um pequeno ajuste aqui e ali e tudo caberá perfeitamente.

— O que você vai fazer com isto? — disse Clara, apontando para alguns pedaços de tecido.

— Estes pedaços de tecido e pele serão belos bigodes e sobrancelhas. Use sua imaginação. Temos de nos esforçar para ser criativos, não? — ela riu e Clara fez o mesmo.

— Crianças — Rudi gritou por cima do barulho —, precisamos ensaiar essa cena ou nunca ficaremos prontos para a estreia. Preciso de Brundibár, do povo da cidade, dos animais e do policial. Onde está o policial?

Todos olharam ao redor, procurando Jacob.

— Eu o vi, indo para o barracão dos homens há pouco tempo — disse um dos meninos.

— Por que ele iria lá? — perguntou Rudi.

Ninguém respondeu, mas Clara sabia o porquê. Sabia que Jacob estava escapando para reuniões secretas regularmente naqueles dias. Ele havia dito que as reuniões aconteciam tarde da noite, mas, às vezes, Jacob e seus

amigos também se encontravam durante o dia. Ele também tinha cuidado para ir às reuniões e, geralmente, ninguém notava. Naquele dia, ele havia sido menos cuidadoso.

— Alguém sabe por que Jacob está atrasado hoje?

Clara permaneceu em silêncio junto aos outros enquanto Rudi falava. Seu corpo ficou tenso e ela baixou a cabeça para evitar o contato visual com qualquer um. Jacob estava começando a se arriscar, deixando a sua ausência em um ensaio se tornar tão óbvia. Se outros habitantes começassem a adivinhar o que estava acontecendo, a notícia poderia vazar para os guardas e isso seria um desastre para Jacob e os outros.

— Estou aqui, Rudi.

Clara levantou o rosto e viu Jacob parado na porta, o rosto vermelho como se tivesse acabado de correr uma maratona.

— Desculpe pelo atraso. Uma das enfermeiras me pediu para levar alguns remédios para homens doentes no dormitório. Não havia lugar para eles no hospital e a enfermeira não podia deixar seu posto. Eu tinha uma permissão por escrito para sair.

Jacob mentia com muita facilidade, ninguém parecia suspeitar de nada.

— Tudo bem então, Jacob — respondeu Rudi. — Apenas tente chegar na hora daqui para frente. Não podemos ensaiar se as pessoas faltarem.

Jacob uniu-se ao grupo. Ao olhar para Clara, o alívio nos olhos dela estava patente para ele.

— Obrigado por não dizer nada, Clara — ele balbuciou baixinho ao passar por ela no palco.

— Silêncio! — Rudi gritou. — Já basta você estar atrasado, Jacob. Mas, agora que está aqui, manifeste-se somente se tiver falas.

Rapidamente, Clara assumiu sua posição e o ensaio continuou. Não demorou muito para ela ficar completamente envolvida no roteiro, no seu lugar no palco e nas orientações de Rudi.

Rudi teve mais dificuldade do que o normal para controlar o ensaio. Entre os barulhos do cenário sendo montado, as pessoas chamando para as provas de figurino, os músicos aprendendo as partituras e os atores conversando entre si, havia muita confusão, e também animação. Porém, como tinha experiência, Rudi sabia que, a cada ensaio, a apresentação ficaria melhor. A noite de estreia estava chegando.

15

MAMÃE

Clara deveria ter esperado que algo acontecesse para diminuir sua animação com *Brundibár*. Em Terezin, todos sabiam que coisas boas vinham acompanhadas de coisas ruins. No momento em que Clara viu seu pai e Peter aparecerem durante um dos ensaios, soube que algo estava errado. Peter parecia ter chorado e o rosto de papai estava cinza e sombrio. Rudi fez um gesto para Clara sair do palco. Todos ficaram em silêncio e Clara podia ouvir os saltos dos seus sapatos batendo e ecoando enquanto ela caminhava lentamente na direção do seu pai. Jacob e Hanna ficaram por perto, sem saber ao certo o que fazer, mas querendo estar próximos para ajudar se fossem necessários.

— Clara, sua mãe está muito doente — papai disparou. — Você tem que vir comigo e eu explicarei o que está acontecendo.

Clara concordou sem falar nada e seguiu seu pai pela porta, seus pensamentos rodando e seus joelhos tremendo. Ela havia percebido que algo estava errado na última vez em que havia visto sua mãe. Ela não parecia bem, mas Clara não queria encarar a realidade de que seus pais, assim como outras pessoas em Terezin, poderiam ficar doentes por causa das péssimas condições em que viviam.

Papai explicou que tinha começado com uma febre, que mamãe tentara ignorar. Do seu jeito sempre modesto, tinha fingido que não era nada além de uma gripe forte. Porém, a febre não cedeu. Logo, ficou impossível ela ignorar a dor e a pressão que estavam aumentando no seu ouvido.

— Muitas pessoas aqui sofrem com infecções no ouvido, crianças — papai disse enquanto caminhavam juntos rapidamente para o hospital. — É algo comum com a gripe. Se tivéssemos medicamentos adequados, seria simples de tratar.

Clara balançou a cabeça, relembrando as vezes em que havia tido infecções nos ouvidos quando morava em Praga. Papai então havia prescrito remédios para tratar a inflamação e eles haviam funcionado, diminuindo a febre e interrompendo a dor.

— Mas, aqui, há tão poucos remédios e sua mãe já está fraca por causa da fome, então o seu corpo não foi capaz de lutar contra a doença.

— O que faremos, papai? — Clara perguntou. — Deve haver alguma forma de ajudá-la.

Clara e Peter acreditavam em seu pai como médico e como solucionador de problemas. Ele deveria ter uma solução para aquilo também. Com certeza ele não deixaria nada acontecer a mamãe.

— Há apenas uma possibilidade e tem de acontecer logo — papai continuou. — Teremos de operá-la para drenar o ouvido e aliviar a pressão. Mas isso também é perigoso. Vocês têm de entender, crianças, que nossas instalações aqui são ruins. As condições da sala de operação são péssimas. Muitos equipamentos estão quebrados e, embora tentemos deixá-los limpos, o risco de infecção da própria cirurgia é muito alto. Farei o que puder para ajudar a mãe de vocês, mas não posso prometer que vá funcionar.

Papai parou de andar e juntou os filhos a ele. Os três ficaram parados no meio da rua, abraçados. Clara nunca havia visto seu pai com tão pouca confiança em si mesmo e a falta de segurança dele a enchia de medo. Como ela poderia ter esperança se seu pai não tinha? A animação por participar de *Brundibár* parecia insignificante e distante naquele momento.

— Venham — disse papai, soltando-os — Levarei vocês para visitarem sua mãe agora. Ela está ansiosa para ver os dois antes da cirurgia.

Clara e Peter seguiram seu pai pela rua na direção do hospital. A mãe deles estava deitada em um catre, os olhos fechados e a boca parcialmente aberta. Sua aparência era ainda pior do que Clara imaginara. Não bastasse a febre alta, seu rosto estava acinzentado e o cabelo, geralmente bem arrumado e bonito, estava pegajoso, sujo e emaranhado sobre o travesseiro cinza. Sob o lençol, seu corpo parecia seco e vulnerável. Conforme Clara se aproximou da cama, os olhos de mamãe se abriram trêmulos.

— Clara, Peter — ela disse com fraqueza —, venham aqui, meus filhos queridos, para que eu possa falar com vocês.

Peter caminhou com cautela e sentou no canto da cama. Mamãe esforçava-se para falar, obviamente enfraquecida pela infecção que se espalhava.

— Sei que seu pai explicou a vocês sobre a operação. Achamos que é melhor vocês saberem tudo o que está acontecendo, afinal, de que adianta esconder as coisas de vocês? — ela falava com suavidade e Clara teve de se inclinar para entender cada palavra.

— Vocês foram obrigados a crescer muito rápido nesta guerra, mais rápido do que queríamos. Ainda assim, sei que devem estar assustados por minha causa e por vocês.

Com isso, Clara perdeu o controle e se jogou na cama, enterrando a cabeça no peito de mamãe e soluçando alto. Era agonizante ver mamãe daquele jeito e Clara não conseguia mais bancar a heroína. Ela estava assustada e a incerteza sobre o que iria acontecer a enchia de medo. Já era terrível o suficiente ficar separada dos seus pais todos os dias e, naquele momento, ela tinha de enfrentar a possibilidade de sua mãe morrer.

Peter mal se mexia. Seu rosto parecia indicar que ele havia se fechado em sua casca. Clara não via aquele olhar distante havia meses. Mamãe acariciou a cabeça de Clara e segurou a mão de Peter. Ela não tentou fazer Clara parar de chorar e não disse a ela que precisava ser corajosa. Apenas segurou sua filha e a deixou chorar. O corpo de Clara tremia e doía por causa de tudo o que havia acontecido a ela e à sua família, no curto período em que estavam em Terezin. Ela chorou por todos os dias em que havia passado frio e fome e por todas as coisas de casa de que sentia saudade. Ela soluçou pelos parentes e amigos que havia perdido e por sua infância despreocupada que desaparecera. Porém, acima de tudo, ela chorou por sua mãe, que era, talvez, a pessoa mais importante da sua vida. E, quando Clara não tinha mais lágrimas, ela simplesmente ficou deitada e deixou a mão de mamãe descansar sobre sua cabeça. Clara apreciava o toque da mãe mais do que nunca.

Por fim, papai deu um passo à frente. Era a hora da cirurgia da mamãe e de as crianças irem embora. Clara beijou sua mãe na bochecha e demorou-se mais um pouco, enquanto ela sussurrava bênçãos e orações. Peter curvou o rosto sobre mamãe e ela murmurou algo para ele também. Depois, papai empurrou a cama dela para a sala de cirurgia. Jacob e Hanna estavam esperando do lado de fora e, juntos, andaram com Clara e Peter de volta para o dormitório. Perdidos em seus próprios pensamentos, ninguém falou muito.

Marta já esperava por eles quando o grupo chegou. Ela ficou sabendo o que estava acontecendo e não foram necessárias explicações. Clara, Peter, Jacob e Hanna sentaram-se em silêncio na pequena mesa no centro do quarto. Outras garotas entravam de vez em quando e todas se aproximavam de Clara para lhe dar um abraço rápido. Todas lá entendiam dor e perda. Eram como uma grande família e a aflição de cada um era compartilhada por todos. Clara não era a primeira menina do quarto a ver seus pais ficarem doentes. Na verdade, várias meninas haviam perdido membros da família desde que Clara chegara. Elas ficavam de luto juntas, pois cada perda e cada tragédia as aproximavam mais.

Eles esperaram. Papai prometera ir ao quarto de Clara imediatamente depois da cirurgia, para contar o que havia acontecido. Os minutos passaram com uma lentidão agonizante até que, finalmente, Clara ouviu o som dos passos do seu pai subindo as escadas para o seu quarto. Ele entrou no quarto com uma expressão cansada, mas calma, e disse:

— Ela saiu bem da cirurgia, então, passamos pelo primeiro obstáculo.

Clara fechou os olhos e deitou a cabeça na madeira fria da mesa. A mão de Marta estava em seu ombro, tentando tranquilizá-la e lhe dar apoio.

— Mas essa foi apenas a primeira batalha. Agora, temos de rezar para que nenhuma infecção se instale e que a febre baixe. As próximas 24 e 48 horas são cruciais. Se ela superar esse período, ficará bem.

Ele se inclinou e beijou os filhos.

— Venha, Peter, farei companhia a você e a Jacob para voltarem ao seu dormitório. Por ora, não há mais nada que possamos fazer. Clara, você precisa tentar dormir um pouco.

Clara não rezava havia muito tempo. Na verdade, a última oração de que se lembrava, ela havia feito no dia antes de sair de Praga com destino ao gueto. Ela havia pedido a Deus coragem diante de tantas coisas desconhecidas. Em Terezin, ela havia abandonado as suas orações. Para Clara, parecia que Deus não visitaria aquele lugar. Porém, naquela noite, ela rezou com mais vontade do que jamais havia rezado. Ela pediu a Deus que cuidasse de mamãe e a deixasse forte e bem, ela implorou a ele que a mantivesse segura e que cuidasse dela. Clara prometeu nunca pedir mais nada se Deus lhe concedesse aquele pedido. E, de alguma forma, com as mãos apertadas contra seu rosto, ela caiu no sono.

A VONTADE DE SOBREVIVER

Você não precisa ficar aqui hoje, imagino que saiba — Rudi disse gentilmente quando Clara chegou cedo para o ensaio de *Brundibár* no dia seguinte. — Todos nós entendemos o que está acontecendo e muitos de nós já passamos por situações assim.

Clara estava agradecida pelo apoio de Rudi, mas explicou que não havia motivo para ficar afastada. Mamãe estava em um quarto isolado e não tinha permissão para receber visitas. Papai e outros membros da equipe médica esperavam que, deixando-a longe dos outros pacientes, os riscos de infecção seriam menores. Naquele momento, Clara precisava manter os pensamentos longe das preocupações. Concentrar-se nos ensaios era o melhor remédio.

Todos foram muito gentis com Clara. Era quase constrangedor receber tanta atenção. Durante o ensaio, ela ficou atenta para o caso de ouvir passos subindo para o sótão. Papai havia prometido avisá-la imediatamente se houvesse mudança na condição de mamãe, boa ou ruim. Embora fosse difícil manter o foco, ela tentou se jogar no ensaio com todo o entusiasmo que conseguia juntar, mas alguns de seus pensamentos continuavam voltando para a imagem de mamãe quando se despediram no hospital. Por várias vezes, Rudi teve de interromper os pensamentos de Clara gentilmente e trazê-la de volta ao ensaio.

Clara não era a única com problemas para se concentrar, aconteceram muitos contratempos e trapalhadas durante o ensaio. Depois de duas horas, Rudi ameaçou abandonar o projeto todo se o elenco não se organizasse. Eles não estavam causando problemas de propósito, apenas estavam agitados demais para se concentrar. A gota d'água foi quando um banco do palco se quebrou sob o peso de vinte membros ansiosos do coro, que haviam pulado em cima dele em vez de subirem com cuidado, como foram instruídos. O grupo se desfez em risadas, tanto que um menino perdeu o fôlego e começou a se engasgar. Nem isso foi suficiente para pôr um fim na balbúrdia. Rudi acabou subindo em uma cadeira e encarou o elenco.

— Cansei de todos vocês — ele gritou por cima da comoção. — Vamos nos apresentar em duas semanas e nenhum de vocês está preparado para entrar no palco. Não vou passar vergonha com essa produção se não estiver pronta. Fui claro?

A maioria das crianças ficou séria, embora várias ainda dessem risadinhas e tossissem com a mão sobre a boca.

— Agora — Rudi continuou —, quero os três animais no palco para cantarem sua canção de ninar e, para o resto de vocês, **FIQUEM EM SILÊNCIO**, ou então...

Clara sabia que essa era a sua deixa e arrastou-se até o seu lugar atrás do pôster do pardal. Os músicos começaram o aquecimento para a sequência da canção de ninar. Na cena, o cão, o gato e o pardal acabaram de aparecer para as duas crianças e prometeram ajudá-las. Eles colocam as crianças para dormir com uma bela canção de ninar. O palco escurece e os animais cantam. Aninka e Pepichek deitam as cabeças e dormem enquanto o último holofote se apaga. Quando Clara e os outros dois animais acabaram de cantar, os outros membros do elenco, que assistiam das laterais, explodiram em um aplauso espontâneo.

Rudi balançou a cabeça em sinal de aprovação.

— É isso — ele disse. — Façam exatamente assim e estará perfeito para a noite de estreia.

Clara sorriu e, dali por diante, o ensaio aconteceu sem problemas. Só ao deixar o barracão, Clara se lembrou de mamãe. Não tinha notícias do seu pai e já estavam quase terminando as 24 horas após a cirurgia. Papai havia dito que aquele era o período crítico. Certamente deveria haver notícias àquela hora. Clara agarrou o braço de Jacob quando ele passou pela porta e correu com ele a distância até a enfermaria, bem a tempo de ver papai sair do hospital.

— Papai — Clara gritou —, o que está acontecendo? Como está a mamãe?

Ela procurou na expressão de seu pai algum sinal de notícias, mas, naquele momento, a única expressão no rosto dele era de exaustão. Ele provavelmente havia ficado acordado a noite toda com mamãe e, depois, o dia inteiro também.

— Eu estava indo buscá-la, Clara. Peter já está aqui. Entre, quero que você veja uma coisa.

Clara prendeu a respiração e entrou no hospital. O que encontraria lá dentro? Sua mãe estaria melhor ou pior? Peter estava esperando na entrada e olhou nervoso para Clara. Papai os guiou gentilmente até uma porta no final do corredor e a abriu, fazendo-os entrar. O coração de Clara batia acelerado. Pela porta entreaberta, ela viu sua mãe, tranquilamente deitada na cama do hospital com os olhos fechados. A primeira coisa que Clara notou foi a expressão no rosto dela, calma e sem sinal de dor. Clara olhou para seu pai e sorriu.

— Ela vai ficar bem, não vai? — Clara perguntou.

— Sim, Clara, acredito que ela vá ficar bem. Ainda temos de observá-la cuidadosamente e ela precisará de tempo para se recuperar, mas a febre quase desapareceu já. Ela está até mais forte do que eu esperava.

— Podemos entrar?

— Por pouco tempo, ela precisa descansar.

Clara e Peter entraram no quarto e aproximaram-se da cama. A respiração de mamãe estava regular e profunda em seu sono. Havia até um pouco de cor nas suas bochechas magras. Enquanto Clara ficou parada ali, ela mal notou as lágrimas que escorriam pelo seu rosto. Dessa vez, eram lágrimas de alívio. Ela olhou para Peter, ele também estava chorando, mas desviou os olhos para sua irmã e conseguiu sorrir. Clara inclinou-se sobre a cama de mamãe e beijou carinhosamente a sua testa, com cuidado para não acordá-la. Depois, junto com seu pai, ela e Peter saíram do quarto nas pontas dos pés.

Do lado de fora, Clara parou para conversar com Peter enquanto papai ia verificar a medicação de mamãe.

— Peter, você está bem? — Clara perguntou, procurando os olhos grandes e profundos do seu irmão.

Era ainda tão difícil ler os sentimentos dele. Em um momento, estava jogando futebol com seus colegas de time e, no momento seguinte, estava fechado naquela sua casca.

Peter tossiu alto, uma tosse áspera e grossa, e encolheu os ombros.

— Estou bem, eu acho. Mas fiquei muito assustado, Clara, pensei que mamãe fosse morrer.

Clara concordou balançando a cabeça. Ela se perguntava como Peter estava realmente lidando com a vida no gueto. Como se desvendasse seus pensamentos, ele falou novamente:

— Na maioria dos dias, fico bem, Clara. Mas são tantos os dias em que desejo que nada disto estivesse acontecendo e que eu pudesse desaparecer.

Ele mastigou nervosamente a sua manga e enxugou os olhos com as costas das mãos.

Papai saiu do quarto de mamãe e lembrou a Clara e Peter que eles deviam voltar para os dormitórios.

— Não quero ir ainda, papai — disse Peter, olhando ansioso para a porta aberta que levava ao quarto de mamãe.

— Bem, talvez uma das enfermeiras possa acompanhá-lo de volta um pouco mais tarde — papai respondeu.

Clara sabia que papai também não queria sair de perto de mamãe e, assim, ofereceu-se para voltar sozinha.

Antes de sair, seu pai a abraçou com força e beijou-a com carinho na testa ao dizer boa noite.

— Se você voltar amanhã, tenho certeza de que mamãe estará acordada. Ela irá querer vê-la e falar com você.

Clara prometeu estar lá e, depois, saiu para o ar da noite. Somente nesse momento o impacto total dos dois dias anteriores a atingiu. Sua mãe ficaria bem no final das contas. Chegar perto de perder a mãe a fez perceber o quão importante a família era para ela. Clara sentiu como se estivesse se inclinando sobre um penhasco íngreme, prestes a cair da beirada, somente para ser puxada e salva no último instante. Não foi desta vez, dizia uma voz em sua cabeça. Desta vez, tudo ficará bem.

Jacob estava esperando por ela do lado de fora. Ele a acompanhou enquanto andavam de volta para seus quartos. Primeiramente, eles não disseram nada um ao outro, mas, por fim, Jacob foi quem quebrou o silêncio.

— Você acredita em destino? — ele perguntou.

— Como assim?

— Você sabe, destino, fortuna, sorte. Você acredita nisso?

Clara pensou por um instante antes de responder:

— Acho que, se você tiver uma atitude positiva e cheia de esperança em relação à vida, coisas boas podem acontecer a você. Mas nós não temos o controle de tudo. Quero dizer, afinal, somos prisioneiros em um gueto.

Clara virou-se para olhar seu amigo.

— Jacob, você não está ainda pensando em fugir daqui, está? Quero dizer, se algo acontecesse a você, não sei o que eu faria.

Jacob parou.

— Clara, não posso mentir para você. Nós vamos fugir.

— Jacob, estou tão preocupada com você — Clara gritou. — Mesmo que conseguisse sair daqui vivo, para onde iria? Não há muitas pessoas por aí dispostas a ajudar um judeu fugitivo.

Todos sabiam que a punição por ajudar um prisioneiro fugitivo era severa: prisão e, possivelmente, morte. Uma coisa era certa: os nazistas iriam atrás de quem ousasse fugir do gueto, em um piscar de olhos. Seria fácil para eles perseguir um fugitivo de Terezin, afinal, os nazistas tinham cavalos, rifles e cães. E, além disso, havia os muros que cercavam a cidade. Que chance Jacob e seus amigos teriam? Tudo estava contra eles.

— Não sei o que dizer a você, Clara. Sei que o que estou fazendo é perigoso, mas ficar aqui também é. Imagine como seria ser livre de novo, Clara. Pense, em caminhar pela rua de uma cidade, comer o quanto quiser sempre que quiser, tomar um banho ou até dois seguidos e não temer deportações. Só de pensar na liberdade, fico um passo mais perto dela. E vou fazer alguma coisa para consegui-la.

"Lembra-se de que eu perguntei se você acredita em destino? Bem, acho que você tem sorte na vida, Clara — Jacob continuou. — Posso sentir. Quero dizer, pense nisso. Sua mãe ficou muito doente e, agora, está melhorando. Seu irmão praticamente apanhou de um guarda, mas nada terrível aconteceu por causa disso. Você fez o teste para uma ópera e conseguiu um papel principal. É isso que eu chamo de sorte. É claro que você está em uma prisão, mas coisas boas acontecem a você apesar disso. Não sei se comigo é assim."

— Você esqueceu uma coisa — disse Clara, timidamente, ao olhar para Jacob.

— O quê?

— Tenho você como amigo, o que me faz a pessoa mais sortuda daqui.

Jacob parou por um momento e, depois, sorriu para Clara.

— É — ele disse —, eu diria que você está certa. E isso me faz ser sortudo também.

Já tarde da noite, Clara pensou sobre o que Jacob havia dito. Era difícil sentir que tinha sorte naqueles dias. Porém, até mesmo sua colega de quarto, Monica, havia dito que eles tinham sorte por estarem em Terezin e não em outro lugar pior. Lá no gueto, onde tudo era tão incerto, um pouco de sorte podia ajudar muito. Clara esperava que Jacob estivesse certo.

17

NOITE DE ESTREIA

O dia 23 de setembro de 1943 era a data de estreia de *Brundibár*. Os ensaios haviam terminado e, para o bem ou para o mal, a peça estava prestes a ser apresentada. O último ensaio geral havia tido poucos problemas. Em meio à sua agitação, a maior parte do elenco esperava que fosse um desastre, mas, surpreendentemente, não houve incidentes. Esse fato por si só deixava Clara nervosa. No mundo do teatro, acredita-se que um péssimo ensaio geral significa uma ótima noite de estreia. Talvez fosse melhor se as coisas não tivessem corrido tão bem, ela pensou ao chegar ao barracão Magdeburg, uma hora e meia antes do início da ópera. Hanna já estava lá, sua pele parecia um pouco verde, mas ela fingia não estar apavorada.

— Não estou com medo, não estou com medo — Hanna repetia sem parar, como se aquele mantra fosse acalmá-la.

— Nada pode dar errado, Hanna. Estamos muito preparados — Clara disse, mostrando estar confiante.

— Claro, nada pode dar errado, exceto eu cair de cara no chão, ou esquecer a letra, ou congelar assim que entrar no palco.

Era bom ela estar cantando no coro e não sozinha.

— Ó, Hanna — Clara riu —, você é impossível.

Clara não se sentia nervosa. Estava animada, é claro, mas não sentia nenhuma tensão. Era mais como a vibração de ganhar um prêmio ou ir a uma grande festa. E a animação aumentou quando Clara soube que o pai, o irmão e a mãe estariam sentados na primeira fila do teatro. A recuperação de mamãe era um milagre. Apesar de pouco provável, ela havia vencido a doença e, dias depois da sua cirurgia, estava de pé, andando, comendo e lentamente recuperando sua força. Clara nem havia ousado esperar que ela pudesse ir à noite de estreia, mas lá estava ela na plateia, sorrindo com o orgulho que somente uma mãe pode demonstrar por um filho. Com sua família presente, Clara ficou ainda mais determinada a garantir que seu desempenho naquela noite fosse memorável.

— Fiquem todos em fila para a maquiagem e os figurinos, por favor.

Rudi caminhou entre os membros do elenco, dando ordens com calma. Havia orientações de última hora sobre o cenário e instruções finais para a orquestra. Clara caminhou até uma senhora idosa, parada com uma caixa de maquiagens.

— Venha, Clara — a mulher disse. — O pardal precisa de um pouco de maquiagem.

Ela espalhou uma base grossa pelo rosto de Clara e, depois, pintou suas bochechas e lábios com suco de romã. A tintura vermelha era uma substituta perfeita para o batom.

— Está nervosa, querida? — ela perguntou.

— Animada! — foi tudo o que Clara pôde responder.

O lugar estava quase transbordando com tantas pessoas. Todos os assentos estavam tomados e muitas pessoas estavam sentadas nos corredores. Havia adultos de todas as idades, sem dúvida lembrando-se dos teatros que frequentavam em suas cidades. E havia crianças, os rostos limpos e esfregados o máximo que podiam, ansiosas para se divertirem e esquecerem que tinham fome. Ninguém foi deixado de fora na noite de estreia. As pessoas estavam espremidas dentro do sótão, apertadas como sardinhas. Ninguém parecia se importar, apesar de estar insuportavelmente quente. Nos bastidores, aconteciam ajustes de última hora nos figurinos e nos cenários. Depois, todos assumiram seus lugares para o número de abertura.

— Boa sorte, Jacob — Clara sussurrou enquanto as luzes diminuíam.

— Não, você deve dizer "quebre a perna" — Jacob conseguiu sorrir de volta para ela.

Hanna ainda parecia nervosa.

— Ah, não! Ele disse alguma coisa sobre quebrar minha perna?

— Ah, Hanna — Clara virou-se e Hanna lhe dirigiu um sorriso fraco.

De repente, o lugar ficou quieto enquanto Rudi caminhava até sua posição em frente à orquestra. Clara observou com atenção quando ele ergueu a mão para indicar as primeiras notas da música. A ópera estava começando.

Tudo correu muito bem. O público teve um sobressalto de encanto quando a cortina se abriu. O senhor Zelenka havia feito um trabalho brilhante ao projetar e montar o cenário com os materiais escassos que havia reunido. O coro entrou no palco e cantou os versos de abertura. Clara esperou pacientemente atrás da cerca. Seu papel só apareceu muitas cenas depois. De onde estava escondida, atrás da cerca, ela conseguiu ouvir tudo e ver um pouco da ação por pequenas fendas.

Quando Honza apareceu no palco como Brundibár e torceu seu bigode com um olhar cruel, a plateia quase caiu das cadeiras. Ela podia ouvir as crianças sentadas nas fileiras da frente recuperando o fôlego.

Uma das ajudantes fez um sinal para Clara no seu lado do palco. A deixa para a entrada dos animais estava chegando. Clara rastejou por baixo do buraco na cerca e respirou fundo. O holofote iluminou a cerca e, de repente, ela estava no centro, cantando os primeiros versos da canção do trio. O coração de Clara batia forte de animação e sua cabeça girava, com a emoção de se apresentar. As difíceis harmonias que havia ensaiado por tanto tempo com os outros animais estavam quase perfeitas e renderam ao trio palmas calorosas.

Quando Brundibár foi capturado e levado embora no final, todos aplaudiram. Jacob esteve ótimo como o policial e recebeu os maiores aplausos enquanto arrastava Brundibár para fora do palco. A canção de ninar, cantada pelo coro no final, fez com que muitos da plateia chorassem e Hanna, apesar dos seus medos, não tropeçou nem esqueceu nada. Clara passou por ela em certo momento nos bastidores, enquanto se preparavam para a cena seguinte e Hanna parecia, na verdade, estar se divertindo. No final da peça, a plateia inteira ficou em pé, batendo os pés e gritando "Bravo!". O elenco foi chamado de volta ao palco para agradecer os aplausos por mais três vezes e, no final, empurrou Rudi para frente para ele receber suas muito merecidas palmas.

Depois da peça, os bastidores caíram em um caos.

— Foi muito divertido, não foi? — gritou Hanna por cima da confusão. Seu rosto estava corado de agitação e Clara a abraçou e, gritando, lhe parabenizou.

Jacob lhe deu um tapinha nas costas e um rápido abraço apertado.

— Você estava ótima, Clara. Você ouviu aqueles aplausos?

Rudi caminhou entre o grupo, abraçando cada membro do elenco e aceitando os elogios. Porém, para Clara, o melhor momento foi quando sua família foi aos bastidores para vê-la. Mamãe foi a primeira a abraçá-la.

— Clara, querida. Você estava maravilhosa, nunca me senti com tanto orgulho.

Embora mamãe ainda estivesse fraca por conta da doença, segurava a filha com força.

Papai estava tão animado quanto ela.

— Quem iria imaginar que uma filha minha poderia cantar tão bem? Foi uma delícia assisti-la e ouvi-la, Clara.

Peter era mais tímido e deu um passo à frente segurando um pedaço de papel.

— Foi bom, Clara. Pegue — ele disse, entregando o papel a ela —, não deu para trazer flores para você na noite de estreia, então eu desenhei algumas.

Clara olhou para o papel levemente amassado. Nele, Peter havia desenhado uma dúzia de rosas vermelhas, unidas no meio por um grande laço da mesma cor.

— Ó, Peter! Muito obrigada! — Clara não parava de abraçar seu irmão, enquanto ele a empurrava.

Clara estava nas alturas e nada poderia diminuir seu entusiasmo. Ela sabia que participar daquela ópera era exatamente do que ela precisava, algo que tirava sua cabeça da miséria do gueto. A mensagem de *Brundibár* era clara para todos, assim como a letra da canção final de vitória.

"SEUS DIAS ESTÃO CONTADOS AGORA. ENCARE-O SEM MEDO. NÓS SOMOS INVENCÍVEIS."

Assim como os personagens da ópera haviam vencido o perverso tocador de realejo, todos os habitantes de Terezin precisavam sentir que poderiam derrotar seus inimigos. Os membros do elenco festejaram até tarde da noite, cantando músicas da ópera e contando o quanto haviam ficado nervosos.

18

NA SOMBRA DE *BRUNDIBÁR*

Nos meses seguintes, a vida de Clara continuou ocupada com as apresentações de *Brundibár*. Era emocionante e cativante... e completamente cansativo! A sirene ainda soava todas as manhãs ao nascer do sol, não importava o quão tarde Clara havia ido para a cama na noite anterior. Para deixar a situação ainda mais difícil, todas as noites, depois da apresentação, o elenco tinha de limpar o sótão. Os figurinos tinham de ser dobrados, a maquiagem removida e o cenário colocado de volta no lugar. Os bancos precisavam ser endireitados e o chão, varrido, para tudo estar pronto no dia seguinte. Rudi insistia nessa rotina, independentemente do quanto o elenco estava cansado.

Certa noite, depois de uma apresentação especialmente boa, o elenco decidiu que era hora de fazer uma nova celebração. Assim, ficaram acordados por mais tempo do que normalmente, jogando, cantando e até dançando. Rudi estava ao piano, tocando antigas canções populares tchecas. Jacob tirou Clara para dançar diversas vezes, escolhendo-a em vez de muitas outras garotas. Isso não passou despercebido. O rosto de Clara queimava de vergonha e alegria enquanto Jacob a segurava, e eles rodavam pela pista de dança. Clara não conseguia lembrar que horas eram quando ela e os outros finalmente se esgueiraram de volta para seus quartos, bem depois do toque de recolher. No entanto, naquela noite, ela teve o sono mais pacífico e maravilhoso, sonhando com a ópera e Jacob.

Aquela noite foi um ponto alto para Clara, mas houve outras noites tão emocionantes quanto aquela. Certo dia, uma crítica de *Brundibár* apareceu na revista semanal, *Vedem*. O colega de quarto de Jacob, Martin, havia assistido a uma apresentação com caneta e papel na mão. Todos do elenco estavam nervosos naquela noite, como se um famoso crítico de teatro tivesse aparecido para criticar a ópera. Estavam determinados a se saírem melhor do que nunca e garantir que as críticas fossem positivas. O trabalho duro deles foi recompensado. Naquela sexta-feira, quando o dormitório se reuniu para ouvir uma leitura dos artigos da revista, Martin ficou em pé para ler sua crítica da ópera. Era fantástica e cheia de homenagens. Martin falava sobre Honza e sua maravilhosa representação de Brundibár. Ele citou Rudi e seu talento para dirigir e reger. Fez até uma menção honrosa aos três animais e suas bonitas harmonias. Ele concluiu sua crítica assim:

"*... No final da apresentação, o lugar se encheu de aplausos estrondosos e o público ficou em pé. Todos, jovens e velhos, ficaram emocionados com a doce música e com os talentosos jovens do elenco. Os envolvidos devem ter orgulho, pois criaram um show maravilhoso. No final, Brundibár foi derrotado porque as crianças não sentiram medo. As crianças venceram.*"

A crítica sobre *Brundibár* foi colocada em um quadro no corredor do dormitório dos garotos para que todos os que passassem pudessem ler.

Em pouco tempo, as crianças que andavam pelas ruas de Terezin podiam ser ouvidas cantarolando músicas da ópera. As pessoas iam três ou quatro vezes para vê-la, até mesmo os guardas apareciam, ficavam em pé no fundo e, às vezes, mostravam um verdadeiro entusiasmo com a apresentação. O lugar sempre estava próximo de rebentar e abafado de tão quente, mas ninguém parecia se importar.

O prazer que *Brundibár* trouxe para Clara e os outros parecia superar tudo no gueto. Até Jacob sorria com mais frequência nas semanas e meses após a estreia da ópera. Clara presumia que ele ainda estivesse planejando a sua fuga, mas não fazia perguntas. Secretamente, ela esperava que Jacob pudesse estar repensando sua decisão de ir embora. Ele parecia muito mais feliz e menos nervoso naqueles dias.

A ópera havia sido apresentada, pelo menos, uma dúzia de vezes quando a primeira má notícia chegou ao elenco. E não era completamente inesperada, afinal, tantas pessoas estavam sendo deportadas naqueles dias para campos ao leste de Terezin. A cada dia, mais e mais famílias recebiam seus papéis amarelos e, dois dias depois, deixavam o campo para serem substituídas por outras famílias. Como uma porta giratória, pessoas iam e pessoas vinham. Assim, realmente não foi uma surpresa quando vários membros do elenco receberam seus papéis para deportação.

Leo, que interpretava o padeiro, e Anna, a vendedora de sorvete, junto com vários membros do coro, chegaram certa noite para aquela que seria sua última apresentação de *Brundibár*. Todo mundo já sabia da notícia. Aqueles jovens talentosos iriam partir no dia seguinte para um destino desconhecido e apavorante. Não era de espantar que, na véspera da sua partida, eles quisessem se apresentar. Pelo menos, sua última memória de Terezin seria uma memória de *Brundibár*.

— É tão injusto — disse Clara no dia seguinte, enquanto caminhava ao ar livre com Peter.

Eles estavam voltando de um dos prédios onde haviam deixado os sapatos e botas surrados de vários de seus colegas de quarto. Havia sido uma longa espera até conseguirem vales para o conserto de calçados.

— Justo quando pensamos que a situação está começando a melhorar, algo assim acontece. Anna se esforçou bastante para não chorar, mas, no final da apresentação, todos nós estávamos chorando.

A lembrança da noite anterior ainda era dolorosa.

— O que acontecerá à ópera agora, Clara? — perguntou Peter.

Ele havia se tornado fã da ópera e assistido a ela pelo menos cinco vezes.

— Rudi diz que faremos novos testes para os papéis que faltam. Talvez você devesse tentar, Peter. Você, provavelmente, agora sabe de cor a maioria das músicas e das falas.

Peter tossiu alto.

— Não, não é para mim. Além disso — ele disse, ao tossir novamente —, preciso me livrar desta gripe para poder voltar a jogar futebol.

Clara não havia percebido que seu irmão havia parado de jogar futebol. Ela estava tão envolvida na ópera que parecia ter pouco tempo para outras coisas. Realmente parecia que a tosse de Peter estava pior do que na última vez que Clara o vira. Ela esperava que ele não estivesse ficando doente de verdade.

Como prometeu, Rudi preencheu os papéis que faltavam. Por várias semanas depois disso, os atores ensaiaram com garra, preparando-se para a apresentação seguinte de *Brundibár*. Algumas semanas depois, quando outros dois membros do elenco receberam ordens de deportação, todos se adaptaram com mais facilidade.

E assim, as apresentações continuaram. Crianças iam embora e seus lugares eram preenchidos. O público continuava a lotar o teatro e Clara continuava animada com a ópera. Até mesmo o frio do inverno não diminuiu o entusiasmo dela. Estava apaixonadamente envolvida naquele trabalho feito com amor, que levava esperança e expectativa de que mais coisas boas acontecessem.

19

NOTÍCIAS

— Clara, acorde. Você não vai acreditar nesta notícia.

Clara resmungou, rolando na cama, e percebeu que Hanna a chacoalhava impacientemente.

— Eu disse para acordar. Todos estão de pé há séculos. Como você pode dormir com todo este barulho?

Por um momento, Clara sentiu-se desorientada. Na noite anterior, havia acontecido outra apresentação de *Brundibár*. Depois, o elenco ficou até mais tarde do que costumava, limpando e conversando. Clara não lembrava a que horas finalmente havia se deitado, mas, ao se esgueirar pelas ruas para voltar ao dormitório, sabia que já passava muito da hora do toque de recolher. Era realmente possível que ela não tivesse acordado com a sirene da manhã?

— O que você quer? — Clara resmungou, forçando seus olhos a se abrirem para a luz desagradável da lâmpada no teto.

— Levante-se e se lave. Marta quer falar com todas nós. É uma notícia incrível, você tem que ouvir por si mesma.

Apesar do grande cansaço, ela estava curiosa e, assim, rolou para fora da cama e caminhou para os banheiros. Embora o inverno estivesse acabando, o ar ainda trazia um toque de frio e, nas manhãs, as pessoas ainda podiam ver suas próprias respirações. Clara estava em Terezin havia quase um ano, um fato que a surpreendia. Um ano antes, ela se encontrava no mesmo banheiro, pela primeira vez, apavorada com o que iria acontecer com sua família. Um ano depois, as rotinas do gueto eram familiares para ela. Clara tremeu ao tentar se livrar do sono lavando o rosto com a água fria que pingava da torneira. Ao seu redor, as meninas estavam reunidas em grupos, umas cutucando as outras e sussurrando animadas. Clara pegou algumas palavras das suas conversas, mas era impossível entender a história toda. Quando voltou ao quarto, Marta estava lá, reunindo as meninas para uma conversa.

— Silêncio, meninas — ela disse, esperando que todas encontrassem um lugar para sentar. — Sei que há muitos rumores lá fora, então tentarei dar a vocês o máximo de informações verdadeiras que tenho. Sim, é verdade, a Cruz Vermelha irá visitar Terezin na primavera.

Então essa era a grande notícia, pensou Clara. As histórias que circulavam havia algum tempo eram reais. A Cruz Vermelha era uma organização internacional formada para tratar das pessoas doentes ou feridas nas guerras. Como não era associada a nenhum país, era vista como neutra e, com frequência, negociava entre inimigos durante os conflitos. O gueto seria visitado por um grupo de inspetores da Cruz Vermelha que haviam pedido permissão para ver como os judeus estavam sendo tratados no gueto. Eles iriam chegar em algum dia de junho.

— Suspeitamos que países de todo o mundo estejam começando a saber o que realmente está acontecendo nos campos que os nazistas construíram a leste daqui — Marta continuou. — Organizações como a Cruz Vermelha estão ficando alarmadas com as notícias de que judeus não apenas estão apanhando e morrendo de fome, mas estão sendo mortos em campos de extermínio. Até o momento, o mundo não viu provas disso, apenas fortes rumores. Agora, líderes de todo o mundo estão exigindo saber se as histórias são verdadeiras. Por isso, a Cruz Vermelha será enviada para determinar a verdade aqui em Terezin. Estou falando sem cuidado porque sei que todas vocês conhecem essas histórias.

As meninas afirmaram com a cabeça e Clara lembrou-se de suas conversas com Jacob e Monica. Desde que havia chegado, milhares de outras pessoas haviam sido mandadas para longe. Todos os habitantes continuavam vivendo com o medo constante de deportação. Os rumores de mortes ao leste de Terezin estavam sendo espalhados pelo gueto com mais certeza a cada dia. Clara havia conversado com seus pais várias vezes para tentar entender as notícias que chegavam do leste. Seus pais, como sempre, tentavam protegê-la e ela não conseguia separar o que era verdade do que não era. A única coisa certa era que a palavra "transporte" evocava medo em quem a escutasse.

— Então, a chegada da Cruz Vermelha a Terezin pode ser uma coisa maravilhosa para nós. Esperamos que vejam como as condições são ruins aqui e entendam que a situação em outros lugares é ainda pior. Quando contarem isso ao mundo, a guerra acabará rapidamente.

— Mas, Marta — Clara interrompeu —, por que os nazistas concordaram em receber a Cruz Vermelha aqui? Por que iriam querer que alguém visse o que está acontecendo?

Apesar do entusiasmo de Marta, Clara não acreditava que os nazistas realmente iriam abrir as portas de Terezin para uma investigação pública.

— Mas é justamente isso — Marta explicou —, os nazistas não tiveram escolha. Acreditamos que a pressão feita pelos outros países, para que eles exponham suas atividades, esteja crescendo.

O quarto foi tomado por um burburinho por causa da notícia, mas Clara ainda tinha suspeitas. Ela não podia acreditar que os nazistas dariam as boas-vindas à Cruz Vermelha e permitiriam que eles vissem como Terezin realmente era. Tinha de haver mais detalhes nessa história e Clara estava determinada a descobrir a verdade. Como sempre, quando algo importante acontecia, ela queria falar com Jacob para saber o que ele pensava. Talvez ele soubesse mais sobre essa futura visita.

Clara viu Jacob somente mais tarde naquele dia e, até aquele momento, mais notícias haviam se infiltrado no gueto.

— É tudo uma armação, Clara. Suas dúvidas provavelmente estão certas. Ouvi dizer que os nazistas vão arrumar o gueto para os visitantes. Estão planejando plantar grama e nos dar roupas novas e até trazer mais comida para todos. Não deixarão que a Cruz Vermelha entre até que Terezin pareça um novo lugar, uma cidade normal.

— Eu sabia. Era bom demais para ser verdade.

Clara percebeu que aquela seria uma enganação inteligente.

— Então, no final das contas, ninguém vai saber de verdade o que acontece aqui. Todos pensarão que temos sorte por sermos bem tratados.

— Não posso acreditar que consigam fazer isso, Clara. Quero dizer, como podem esconder tudo? E o hospital e as pessoas idosas e doentes que estão por toda a parte? Podem limpar algumas áreas do gueto, mas não podem fingir que é um paraíso.

Havia muito a esconder em Terezin. Com certeza, nem os nazistas seriam capazes de encobrir tanta coisa.

— E se houvesse uma maneira de avisarmos à Cruz Vermelha que ela está sendo enganada? — Jacob falou lentamente.

— Como o quê?

— Não tenho certeza, mas e se pudéssemos falar com algumas das pessoas do grupo de visitação ou até passar um bilhete para elas? Mesmo se tivéssemos apenas dois minutos com elas, poderíamos dizer para olharem com mais atenção e fazerem mais perguntas.

— Você acha que alguém acreditaria de verdade em um bando de crianças?

— Não sei, mas temos de pensar em alguma coisa que alerte a comissão, para os visitantes saberem que as coisas não são o que parecem. Converse com a Hanna, nós três juntos poderemos conseguir bolar um plano. Pode ser a nossa única chance.

O rosto de Jacob estava vermelho de agitação.

— Não sei, Jacob. Acho que ninguém terá permissão para chegar perto da Cruz Vermelha. Os nazistas não são idiotas.

— Não, mas temos de ser mais espertos. Temos muito em que pensar.

20

UM NOVO VISUAL PARA TEREZIN

Dias depois do anúncio sobre a visita da comissão da Cruz Vermelha, a cidade toda começou a mudar. Primeiro, foi o terreno. Montes de terra fresca foram trazidos em grandes caminhões e derramados na praça central. Quando o clima começou a esquentar, a grama foi colocada no solo fresco. Flores foram plantadas em canteiros ao redor da praça. As crianças de dois dormitórios foram designadas para ajudar no plantio.

Certo dia, Clara e um grupo de amigas encontraram-se ajoelhadas, cavando a terra recém-colocada. Ela tinha sentimentos opostos em relação àquele trabalho. Por um lado, a finalidade do plantio era enganar os visitantes e Clara estava desesperada para não participar daquela enganação. Por outro lado, as flores eram muito bonitas e ela não via nada como aquilo havia muito tempo. Clara ajoelhou-se na relva nova e esfregou a terra entre os dedos. Ela se inclinou para sentir o aroma do frescor junto com o cheiro da grama sob seus joelhos e do pequeno buquê de tulipas, narcisos e outras flores da primavera.

— São muito lindas, não são? — ela perguntou a Hanna, que estava cavando à sua direita.

— Elas me lembram o parque perto da sinagoga na nossa cidade — Hanna respondeu.

Clara não pensava em sua casa havia muito tempo. Desde que chegara a Terezin, suas lembranças de casa quase haviam se dissipado. Como uma estátua de gelo, elas haviam derretido e formado uma poça irreconhecível. Porém, em meio àquele jardim recém-florescido, as memórias de Clara fluíram de volta e, de repente, tornaram-se fortes.

— Clara, veja o que estão fazendo no centro do parque.

Clara olhou para onde Hanna estava apontando. No meio da praça, um grupo de homens, habitantes de Terezin, estava martelando e pregando uma estrutura de madeira. Latas de tinta branca permaneciam empilhadas de um lado, prontas para serem aplicadas quando a construção estivesse concluída.

— Ouvi dizer que será um pavilhão de música — disse Hanna. — Haverá um concerto lá, à noite, para os visitantes.

— Não posso acreditar no que está acontecendo aqui, Hanna — Clara disse, balançando a cabeça, impressionada e confusa.

Se tivessem lhe dito, um mês atrás, que iriam ganhar parques e pavilhões de música, ela teria se alegrado. Porém, sabendo que tudo aquilo, na verdade, serviria para enganar o mundo e fazê-lo acreditar em uma mentira deixava Clara nervosa. Seria melhor se tudo isso desaparecesse e nós voltássemos à antiga feiura, ela pensou novamente. Ainda com os pensamentos em alta velocidade, ela pôde ver outro caminhão parando na praça da cidade, descarregando bancos de parque para serem colocados sobre a grama. Havia até um parque de diversões, com balanços de madeira, sendo construído do outro lado do terreno.

Peter e um grupo de garotos passaram empurrando um carrinho de mão cheio de terra.

— Clara — Peter chamou —, vamos preencher os buracos do campo de futebol. E, adivinhe! Vamos ganhar bolas de futebol novas. Você acredita?

Peter respirava fundo e lutava contra a carga do carrinho para tentar manter o ritmo dos outros meninos. Em toda a sua volta, os habitantes pareciam mais alertas, como se tivessem ganhado a esperança como presente.

Mais tarde naquele dia, ao esperar na fila para o jantar, se depararam com uma nova surpresa. Em vez da sopa sem gosto de sempre e pedaços de batata, havia vegetais verdes e pãezinhos frescos, que eles não viam desde muito. Mamãe estava lá, sorrindo ao distribuir as porções extras. Daquela vez, ninguém a impediu.

— É maravilhoso, Clara. Veja quanta comida temos. Venha, deixe-me colocar mais no seu prato.

— Quanto tempo acha que isso irá durar, mamãe?

Clara não conseguia compartilhar o entusiasmo de sua mãe. Era muito óbvio que os guardas estavam tentando engordá-los a tempo de parecerem saudáveis para os visitantes.

— Quem sabe, Clarichka? — ela respondeu. — Mas aproveite agora. Veja, até a alface está fresca. Coma, minha querida. É bom para você e é isso que importa.

Clara supôs que mamãe estava certa. Ela com certeza não iria deixar de provar aquela comida maravilhosa, mesmo se a finalidade daquilo fosse enganar o mundo. Porém, à medida que os dias e as semanas até a visita da Cruz Vermelha passavam, Clara ficava cada vez mais perturbada com as preparações ao seu redor. A notícia mais chocante veio uma semana depois, após uma noite de apresentação de *Brundibár*.

— Juntem-se aqui, crianças. Tenho algo importante a dizer.

Era tarde e Clara sentia-se cansada enquanto recolocava os cenários e os figurinos de volta aos seus lugares. A última coisa de que precisava era um sermão do diretor. No entanto, não era isso que Rudi tinha em mente.

— Acabamos de receber uma notícia. Todos vocês sabem da visita da Cruz Vermelha Internacional.

Todos confirmaram com a cabeça. Naquele dia mesmo, cortinas haviam sido colocadas no dormitório de Clara e a enfermaria infantil havia sido pintada — mais lembretes de que a visita estava se aproximando.

— Bem, por causa da visita, algumas apresentações musicais foram selecionadas para entreter a comissão e, imaginem só, *Brundibár* foi escolhida como uma delas!

O teatro explodiu em um burburinho animado. Clara olhou ao seu redor. Obviamente, todos consideravam aquilo uma grande honra e, ainda assim, a notícia a incomodava. Do outro lado do teatro, ela encontrou os olhos de Jacob e leu a mesma preocupação na expressão dele.

— Rudi — Jacob começou a dizer quando o maestro fez um sinal para que o elenco ficasse em silêncio —, alguns de nós não gostam do que está acontecendo aqui. Quero dizer, toda a comida que estamos recebendo e as limpezas, pinturas e polimentos que estão sendo feitos... Todos nós sabemos que tudo é uma mentira. No dia seguinte à partida da Cruz Vermelha, com certeza voltaremos às mesmas condições miseráveis que sempre tivemos.

— Jacob tem razão, Rudi — Clara continuou. — Não queremos que o mundo acredite que tudo vai bem aqui e concordar em apresentar *Brundibár* é como concordar em participar da mentira. Queremos que a Cruz Vermelha veja o que realmente está acontecendo.

— Clara — Rudi disse —, não estamos sendo enganados pelo que vem acontecendo em Terezin nas últimas semanas. Não acreditamos que, por milagre, os nazistas decidiram nos tratar bem, como se, de repente, estivessem arrependidos do que fizeram. Não. O gueto está fingindo ser algo que não é e a maioria de nós sabe disso. Mas, ao mesmo tempo, *Brundibár* é real e é maravilhosa. E nunca fingimos em nossas apresentações. Seremos tão profissionais quanto sempre fomos. Temos de continuar orgulhosos do que conquistamos aqui.

Quando Rudi finalmente dispensou o elenco, era tarde. Juntos, Clara e Jacob caminharam lentamente de volta para os quartos.

— Ainda acho que devemos encontrar uma maneira de alertar a Cruz Vermelha para o que está acontecendo — disse Jacob. — Você pensou em alguma coisa que possamos fazer?

— Não — Clara respondeu. — Talvez devêssemos simplesmente desistir dessa ideia, Jacob. Nós dois sozinhos não podemos lutar contra isso. Talvez devêssemos simplesmente aproveitar a comida a mais e os divertimentos enquanto tivermos isso.

Clara estava tão cansada de ter de ser adulta e corajosa quando, lá no fundo, ainda sentia medo.

— Não posso aceitar isso, Clara. Olhe, se vamos apresentar *Brundibár*, pode ser que tenhamos uma chance de nos encontrarmos com os membros da Cruz Vermelha. E, se nos aproximarmos deles, talvez, quando os guardas não estiverem olhando, possamos dizer alguma coisa.

Clara e Jacob passaram pela praça da cidade, que estava lindamente enfeitada e florescendo. Jacob olhou rapidamente ao redor, em meio à escuridão. Como não viu ninguém, inclinou-se e tirou uma rosa de um arbusto. Depois, entregou-a para Clara.

— Para você, pequeno pardal — ele disse, fazendo uma grande reverência.

Clara sorriu e segurou a flor na altura do rosto, respirando profundamente seu doce aroma.

— Ora, muito obrigada, senhor policial.

De repente, ela ficou séria de novo.

— Tenha cuidado, Jacob. Não faça nada muito arriscado, não vale a pena.

Jacob espiou para a escuridão por cima dela.

— Não se preocupe, Clara, não farei nenhuma coisa estúpida.

21

A CHANCE DE JACOB

O dia da visita da Cruz Vermelha aproximava-se rapidamente e as preparações de última hora estavam a todo vapor. Uma rota para que os visitantes passeassem pelo gueto havia sido bloqueada e até as ruas por onde iam passar foram esfregadas, pedra por pedra, até brilharem à luz do sol. Cafés foram montados pelo percurso com mesas e cadeiras ao ar livre, adornadas por guarda-sóis coloridos. As vitrines foram recheadas com pães frescos e sobremesas deliciosas, que Clara não via havia mais de um ano. O lugar todo parecia um elaborado cenário de filme, esperando que os atores assumissem suas posições. E, assim, como em um filme, Clara sabia que nem o cenário nem os atores eram reais. Atrás do exterior falso, a verdadeira Terezin estava escondida.

Dias antes da chegada dos visitantes, milhares de pessoas idosas e doentes foram transportadas para o leste, para fora de Terezin. As que ficaram receberam ordens para não saírem dos dormitórios. Os guardas tchecos também sumiram, foram mandados embora para passar a impressão de que os habitantes viviam sem supervisão. Qualquer coisa ou qualquer pessoa que pudesse levantar suspeitas na comissão de visitantes foi escondida. Terezin de uma hora para outra, parecia uma cidade amigável e pitoresca.

Por causa da visita, *Brundibár* mudou de local novamente. O Sokol Hall havia sido renovado recentemente e abrigaria a produção. Ele era magnífico, o mais parecido com um verdadeiro teatro em que aquele elenco já havia se apresentado. De repente, havia equipamentos de cena de verdade, luzes, cortinas e instrumentos melhores. Havia um grande fosso para a orquestra e um camarote. Clara e os outros membros do elenco trabalharam a noite toda aumentando e repintando os cenários, dessa vez usando materiais que pareciam não acabar. Nada era bom demais para a visita da Cruz Vermelha.

A sexta-feira, 23 de junho de 1944, chegou e, com ela, a Cruz Vermelha Internacional. Os habitantes correram para pegarem seus lugares nos cafés, nas ruas ou nos parques. Como se estivessem esperando essa deixa, os carros pretos e brilhantes dos visitantes percorreram as ruas e pararam perto da praça da cidade.

Enquanto isso, Clara e os outros não sabiam muito do que estava acontecendo lá fora. Estavam ocupados preparando os bastidores no Sokol Hall. Depois de uma curta parada no centro da cidade, *Brundibár* era a próxima atividade dos visitantes.

— Certo, crianças — disse Rudi, dando a deixa quando os inspetores entraram no prédio. — Nosso público estará aqui a qualquer minuto e todos nós devemos assumir nossas posições.

O som de botas pesadas subindo pelas escadas e entrando no teatro por trás do palco pôde ser ouvido.

Clara correu para o seu lugar na cerca, embaixo da pintura do pardal. Daquela vez, ela estava nervosa. Lembrou-se da noite de estreia e da animação e da energia que sentira naquele momento. No dia da visita, tudo foi muito diferente. Ela estava cheia de incertezas, tinha medo de que, se a apresentação fosse ruim, o elenco todo poderia ser punido de alguma maneira. No entanto, uma boa apresentação significava alimentar a mentira da visita.

A orquestra tocou as primeiras notas da abertura e *Brundibár* começou. Clara espiou a plateia por trás da cerca, tentando ver os visitantes. Os oficiais nazistas compareceram em peso e usavam seus uniformes de comando, elegantemente polidos para a visita. Entre eles, estavam sentados os três homens da Cruz Vermelha com as mãos perfeitamente cruzadas sobre o colo, assistindo à ópera com interesse. Com base no que vissem naquele dia, os três escreveriam relatórios que iriam para líderes dos Estados Unidos, da Grã-Bretanha, da França e de outros países pelo mundo. Enquanto Clara observava, um dos oficiais inclinou-se para sussurrar algo no ouvido de um dos visitantes. Juntos, eles deram risada do comentário e abriram largos sorrisos ao olharem de volta para o palco. Estavam realmente gostando da apresentação.

O restante da plateia era formado por habitantes judeus que haviam sido cuidadosamente selecionados para assistirem à ópera naquele dia. Os membros do Conselho de Anciãos Judeus estavam lá, juntamente com outros habitantes de aparência saudável. Eles estavam vestidos com roupas novas, como se fossem membros saudáveis da comunidade assistindo a um típico evento cultural. Os rostos deles eram mais difíceis de ler. Eles pareciam bastante agradáveis, mas quase sem vida, como marionetes manipuladas por seus fios.

A deixa para a entrada de Clara estava chegando e ela respirou fundo, antes de aparecer no seu lugar, quando foi dado o sinal. Ela cantou em voz alta e limpa, mas com o coração sofrendo. Como sempre, a apresentação foi um sucesso e rendeu aplausos inflamados com o público de pé.

Enquanto o elenco estava no palco agradecendo, Clara olhou para Jacob e seu coração quase parou. O rosto dele estava muito vermelho e ele parecia mais nervoso do que ela já o tinha visto. Por um momento, ela pensou que ele iria pular para o centro do palco e declarar para todo o público que o que estavam vendo era uma farsa. Ele parecia um animal enjaulado, acuado sem chance de escapar. Por favor, não faça nada, Jacob, Clara rezou em silêncio. Você prometeu que não faria nenhuma coisa estúpida. Por sorte, as cortinas foram fechadas e a apresentação acabou. Clara e Hanna correram para perto de Jacob.

— Jacob — Clara disse, tocando o braço dele.

Ele tirou o braço bruscamente.

— Isso está errado, muito errado. Por que estou fazendo isso se é tão errado?

— Que escolha nós temos? — Hanna perguntou.

— Por que não consigo dizer alguma coisa?

Era difícil olhar e perceber a dor estampada nos olhos de Jacob.

— Por que não consigo fazer alguma coisa? O que há de errado comigo?

— Jacob, pare com isso — Hanna continuou. — Não há nada que você possa fazer, não há nada que nenhum de nós possa fazer.

Jacob ficou parado, infeliz, e baixou a cabeça em resignação. Quando Clara olhou pelo palco, percebeu que muitos outros também pareciam derrotados. Haviam se apresentado com perfeição e visivelmente impressionaram os visitantes, mas aquele sucesso não trazia felicidade.

Mais tarde naquele dia, ela ficou na rota dos visitantes junto com outros grupos de crianças, que sorriam e aplaudiam como foram instruídos a fazer quando a comissão passasse. Era um dia de primavera perfeito e o sol brilhava e aquecia o rosto de Clara. Até o clima havia colaborado com os nazistas. Clara ficou em pé perto dos seus amigos, balançando um cartaz colorido e com um sorriso falso obedientemente pintado no seu rosto. Quando os visitantes se aproximaram, ela os encarou com atenção.

— O que você acha que eles estão pensando? — Clara sussurrou para Hanna, que estava ao seu lado na multidão.

— Eles parecem impressionados — Hanna respondeu.

Ela se perguntou se eles verdadeiramente presumiam que os habitantes estavam vivendo bem. Eles realmente acreditavam que os nazistas tratavam os judeus com respeito e dignidade? Eles eram tão ingênuos a ponto de pensar que os rumores das terríveis condições no gueto e no leste eram mentiras? Eles tinham alguma ideia de que faziam parte de um estratagema bem elaborado para enganar o mundo?

Guiando a comissão, estava Karl Rahm, o oficial nazista que comandava Terezin. Poucas vezes Clara teve a chance de vê-lo de perto. Ele parecia agradável e amigável ao cumprimentar a multidão com um aceno político. Que homem astuto e inteligente ele era. Clara via apenas falsidade nos seus olhos.

Um grupo de crianças aproximou-se da comissão quando ela chegou mais perto. Haviam decorado e ensaiado sua fala com perfeição.

— Tio Rahm, você pode brincar com a gente hoje? — as crianças chamaram o comandante em uníssono. Haviam sido bem ensinadas pelos nazistas.

Ele lhes deu um sorriso caloroso como resposta.

— Não, sinto muito, crianças. Estou ocupado com nossos convidados hoje. Mas talvez eu venha vê-los amanhã.

As crianças voltaram obedientemente para a multidão enquanto os oficiais nazistas seguiam em frente com seus convidados, sorrindo e acenando para os espectadores, inclinando-se para sussurrar no ouvido dos inspetores, apontando uma placa ou uma vitrine. Como deveriam estar satisfeitos consigo mesmos, Clara pensou enquanto um membro da comissão se aproximava de onde ela estava. Que fantasia maravilhosa haviam criado.

A comissão estava quase em frente a ela quando os inspetores de repente pararam e apontaram na direção onde Hanna, Jacob e Clara estavam. Eles se juntaram por um instante para conversar com os oficiais nazistas e, depois, caminharam diretamente para Jacob e pararam em frente a ele. Todos os nervos do corpo de Clara inflamaram-se com medo e expectativa. O que estava acontecendo? Por que se aproximaram de Jacob? Alguém havia escutado suas conversas sobre tentar alertar os inspetores?

Um dos homens, representante da Dinamarca, deu um passo à frente e falou diretamente com Jacob:

— Qual é o seu nome, meu jovem? — ele perguntou.

Jacob ficou em silêncio por um instante antes de gaguejar o seu nome. Ele parecia tão chocado quanto Clara, especialmente quando o inspetor fez esta pergunta:

— Diga-me, Jacob — disse o inspetor —, como é a vida aqui nesses dias?

Houve um silêncio completo enquanto a pergunta ficou pairando no ar.

— Bem — Jacob começou a dizer, nervoso e limpando a garganta. — As coisas estão... Quero dizer, elas são... Você sabe, nós estamos... Elas estão...

Os olhos de Jacob estavam arregalados e redondos como pires, movendo-se rapidamente de um lado para o outro como se quisessem forçar os visitantes a olharem com mais atenção para o que estavam vendo. Eles não entendem que é impossível eu falar? Estou em uma armadilha. Imploro que olhem ao redor e vejam a verdade. Olhem atrás daquele prédio e verão doenças, olhem depois daquela esquina e verão fome. Nada é o que parece. Clara conseguia ler a mensagem nos olhos de Jacob com tanta transparência quanto se ele estivesse falando em voz alta, mas ela era a única que ouvia essas palavras não ditas.

— As coisas estão... bem... eu acho — Jacob por fim disparou. — Estão bem. Bem!

Os visitantes sorriram em sinal de aprovação e seguiram em frente com seus anfitriões. Não perguntaram mais nada. Não olharam além daquilo que estavam sendo orientados a olhar. Quanto a Jacob, ele parecia ainda mais derrotado do que no palco do Teatro Sokol, depois da apresentação de *Brundibár*. Outra chance havia passado, era o que seu corpo todo parecia dizer.

No entanto, aquela havia sido mesmo a oportunidade de ouro que eles esperavam? Os oficiais nazistas, com o poder de decidir a vida e a morte, cercavam Clara e seus amigos. Não havia liberdade no gueto, nem mesmo naquele momento. Eles eram animais enjaulados, brevemente libertados de suas jaulas, mas ainda mantidos prisioneiros com uma coleira apertada. Clara percebeu que ninguém havia impedido que os nazistas prendessem os judeus em Terezin e ninguém iria pará-los naquele momento.

Mais tarde naquele dia, Clara soube que a comissão havia ficado muito impressionada com tudo o que havia visto. Embora admitissem que todas as circunstâncias naquela parte da Europa estivessem difíceis por causa da guerra que seguia com violência, concluíram que as condições em Terezin eram justas e os judeus moravam em uma cidadezinha limpa e adorável.

Clara ficou sentada ao lado de Jacob até tarde da noite, consolando-o e garantindo a ele que não havia nada que pudesse ter feito.

— Eu tive as minhas chances e as perdi — disse Jacob com o rosto pálido e cansado.

— O que você achou que faria, Jacob? — Clara perguntou. — Iria começar a gritar a verdade no meio da rua? Os nazistas pulariam em cima de você em um segundo.

— Talvez valesse a pena — disse Jacob. — Os inspetores não poderiam ignorar algo assim.

— Eles diriam que você é louco. Aceite, Jacob — disse Clara —, nunca houve uma chance real de fazer alguma coisa. Não é sua culpa. Estávamos nos enganando quando pensamos que algo assim era possível.

Jacob respirou fundo e virou-se para Clara.

— Meus amigos e eu vamos embora, Clara. Daqui a dois dias. Preciso sair daqui, agora mais do que nunca.

Clara olhou solenemente para Jacob. Ela sentia mais medo por ele do que conseguia expressar. Ele parecia não se importar mais com a vida e isso é perigoso. No gueto, era preciso lutar para viver, ninguém podia desistir. Porém, Jacob mostrava ter perdido o ânimo. Nada do que Clara dissesse poderia ajudar e os dois amigos ficaram sentados em silêncio.

No dia seguinte, o pavilhão da praça central foi desmontado e os guardas tchecos reapareceram nas ruas de Terezin. Milhares de pessoas receberam ordens de se apresentarem para a deportação, como se a presença delas não fosse mais necessária para enganar ninguém. Terezin rapidamente voltou ao estado em que estava antes da visita da Cruz Vermelha.

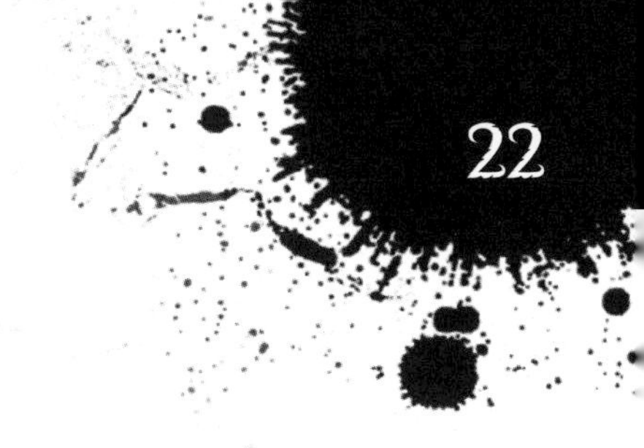

22

JACOB

O ar da noite estava frio e refrescante, um alívio bem-vindo para o calor intenso dentro do prédio onde Jacob havia acabado de participar da sua última apresentação de *Brundibár*. Ele se curvou para amarrar finos pedaços de lençol ao redor de suas botas gastas. À noite, qualquer barulho ecoava pelo gueto. Depois, olhando cuidadosamente de um lado para o outro, Jacob começou a se afastar dos barracões. Ele caminhava com rapidez, mas seu coração batia com força e as vozes em sua cabeça eram ensurdecedoras.

Os últimos dois dias pareceram um pesadelo e despedir-se de Clara havia sido mais doloroso do que ele esperava. Desde a visita da Cruz Vermelha, eles evitaram um ao outro. Mas, naquela noite, depois da apresentação, Jacob aproximou-se de Clara e a tristeza nos olhos dela o perfurou. Jacob nunca se sentira tão só ou incerto em relação a si mesmo.

— É isso, Clara. Chegou a hora.

Enquanto Jacob falava, a incerteza na sua voz era arrasadora. Os seus olhos estavam escuros e exaustos e rugas de cansaço circulavam sua boca, fazendo parecer que ele havia, de alguma forma, envelhecido.

— Lembra-se daquela vez em que eu perguntei se você acreditava em destino ou sorte? — ele disse.

Clara afirmou em silêncio.

— Bem, acho que meu destino é diferente do seu.

— Jacob, você é forte — Clara insistiu. — E você é inteligente e corajoso. Se há alguém que vai ficar bem, esse alguém é você. Acredito nisso com todo meu coração. E você também precisa acreditar.

Era verdade que Jacob sempre fora determinado e cheio de energia, era essa força que o havia ajudado no gueto. Naquele momento, precisaria disso mais do que nunca.

— Nós nos divertimos tanto em *Brundibár*, não foi, Clara? — perguntou Jacob, um pouco melancólico, enquanto eles estavam em pé, olhando um para o outro, no sótão do barracão Magdeburg. — Às vezes, penso que, se não fosse por isso, não sei o que teria feito aqui.

Jacob estava certo, a ópera havia melhorado o humor deles de uma maneira que eles nunca sonharam ser possível. Fez com que se sentissem normais, vivos e valorizados.

— Você é uma grande amiga, Clara — Jacob continuou, olhando nos olhos dela. — Não, até mais do que uma amiga.

— Jacob, não sei como teria sobrevivido aqui sem você.

Clara jogou os braços em torno dele.

— Ninguém pode derrotar você, Jacob. Você não pode deixar que façam isso. Você deve ser mais forte do que eles. Nós nos veremos novamente — ela se esforçava para não deixar sua voz falsear. — Boa sorte, Jacob. Tenha cuidado, por favor.

Jacob abraçou Clara e sentiu lágrimas quentes no seu pescoço.

— Adeus, Clara — ele sussurrou e, depois, afastou-se.

Clara viu Jacob caminhar para a porta. No último momento, ele se virou e olhou para ela, um olhar agonizante que revelava o medo que ele sentia. Clara fechou os olhos para não precisar ver Jacob sair.

Naquela hora, a incerteza sobre o que iria fazer martelava na cabeça de Jacob, à medida que ele se afastava cada vez mais dos barracões. Como ele pôde deixar aquela história ir tão longe? Ele nunca havia enfrentado algo que pusesse a sua vida em tanto risco, e o medo do que poderia acontecer o estava cercando. Seus pulmões pareciam comprimidos e ele respirava com dificuldade.

Jacob parou e encostou-se em uma parede quando um facho do holofote de vigilância passou perto dele. Suas pernas pareciam mais pesadas do que os sacos de terra que ele com frequência carregava pelo gueto quando os guardas faziam construções. Embora se movesse com rapidez, sentia como se estivesse em câmera lenta. Logo à frente, ele finalmente avistou seus três amigos. Lutando contra o impulso de correr na direção oposta, ele disparou para frente, para juntar-se a eles perto do muro.

O grupo havia escolhido o local perfeito para a fuga. Naquela parte do muro, não havia luzes e os sentinelas só passavam a cada meia hora, mais ou menos. Tinha até um pedaço de cano para fora do muro, no qual eles poderiam prender a corda que traziam. Haviam levado meses para observar o gueto, procurando o ponto de saída ideal, mas o tempo fora bem gasto. Cuidaram de todos os detalhes.

— Jacob, estávamos esperando por você. Por que demorou tanto?

Jacob podia ouvir a irritação na voz de Erik ao mergulhar nas sombras perto dos três.

— Eu estava na ópera — Jacob respondeu em voz baixa. — Não pude sair antes sem ser notado.

A ópera! Ele havia mesmo acabado de se apresentar poucas horas antes? Por um instante, ele pensou em Clara. Jacob sempre fora sozinho, cuidando de si mesmo e sem confiar em ninguém. Naquele dia, foi difícil escolher entre sua amiga e sua liberdade. Jacob fechou os olhos tentando desesperadamente tirar esses pensamentos da sua cabeça. Ele precisava se concentrar na tarefa à sua frente.

— Precisamos de cada segundo para que este plano dê certo — Erik continuou, enquanto trabalhava furiosamente para dar um laço na ponta da corda.

Olhando ao seu redor, ele caminhou a curta distância até o muro e lançou a corda para o cano saliente no topo dele. Ele errou na primeira tentativa e, novamente na segunda. Jacob prendeu a respiração quando Erik girou a corda pela terceira vez. Ela finalmente se prendeu ao cano e ele a puxou com força para garantir que estava segura.

— Eu vou primeiro. Jacob, você vem depois de mim e, depois, vocês dois nos seguem — Erik disse, apontando para os outros.

Ele subiu sem hesitar, enquanto os outros espiavam a escuridão para se certificarem de que não havia ninguém por ali. Jacob contou os minutos até que os guardas voltassem para verificar aquela parte do muro. O tempo era apertado. Noventa segundos para escalar o muro do lado de dentro, segurar-se no cano do topo e jogar as pernas para o outro lado. Mais noventa segundos para puxar a corda para o outro lado e descer, depois, pular para evitar o arame farpado e o fosso. Um, dois, três minutos. Por várias vezes, eles ouviram o som de seixos caindo. Haveria guardas esperando-os do outro lado, prontos para atirar?

Finalmente, a corda foi jogada de volta para o lado de dentro, um sinal de que o primeiro dos seus companheiros havia conseguido. Era então a vez de Jacob. Ele respirou fundo e avançou para pegar a corda, colocando um pé no muro. Era isso. Se tudo desse certo, ele logo estaria livre e nunca veria Terezin novamente. Se o plano falhasse, ele seria preso ou morto. De qualquer maneira, nunca veria Clara novamente, ou Hanna, ou Peter ou qualquer um dos amigos que havia feito em Terezin. Ele nunca mais se apresentaria em *Brundibár*, ou veria Rudi, ou cantaria novamente. De repente, ele não conseguia se mexer.

— Vá — Eli sussurrou. — Mexa-se, você tem de se mexer!

Jacob balançou a cabeça e alinhou os ombros, mas ainda assim não se moveu. Era como se seus pés estivessem colados naquele lugar e as mãos estivessem presas na corda. Jacob estava paralisado.

— Vá, Jacob. Se não for agora, será tarde demais. Simplesmente vá! — Eli sussurrou um pouco mais alto.

Os dois homens que ainda estavam lá se dirigiram até Jacob e o sacudiram. Desesperadamente, tentaram erguê-lo pelo muro, para dar-lhe um impulso na direção certa.

Embora o corpo de Jacob tivesse parado, seus pensamentos estavam em alta velocidade. O medo do que havia lá fora o dominava. Todos os músculos do corpo pareciam o estar segurando. Ele estava com medo, com mais medo do que pensava ser possível, com pavor de o plano não dar certo e assustado com as consequências. O suor fazia seus olhos arderem e a respiração o machucava. Parecia o momento em que esteve em frente aos visitantes da Cruz Vermelha, quando não conseguiu falar.

Ele sacudiu a cabeça novamente, com mais violência. "Pare com isso", gritou a voz dentro de sua cabeça. "Você sabe o que tem de fazer". Jacob sabia que poderia morrer tentando escapar, mas, pelo menos, isso aconteceria do lado de fora dos muros e não escravizado do lado de dentro.

— O que há com você? Jacob, não resta mais tempo!

As vozes dos homens se alteravam à medida que ficavam mais desesperados, e eles praguejavam e ameaçavam Jacob.

— Se você não for agora, vamos deixá-lo para trás.

Limpando o suor da testa, Jacob respirou fundo novamente e lançou-se muro acima e, do topo, puxou a corda atrás dele. Mão depois de mão, ele desceu pela corda. Metro por metro, até não restar mais corda. Então, com um último empurrão de suas botas embrulhadas em panos contra o muro, ele caiu nos arbustos e esticou-se no chão. Um, dois, três minutos mais e o terceiro homem estava deitado na grama ao seu lado, ofegante. Depois de mais três minutos agonizantes, todos estavam do lado de fora.

Sem hesitar um minuto, Jacob e os outros arrastaram-se pela grama alta, tentando erguer-se o mínimo possível. Jacob sabia que só poderiam ficar em pé e correr quando chegassem aos trilhos da estrada de ferro. E eles correriam, sabendo que precisavam se afastar o máximo possível de Terezin enquanto ainda estava escuro.

Jacob virou a cabeça para olhar pela última vez para o muro do gueto. Sua determinação estava voltando, ele sentia o cheiro da liberdade, mas ela tinha um sabor agridoce.

— Adeus, Clara — ele sussurrou para a névoa da noite.

Depois, virou-se para seguir seus companheiros pela escuridão.

A MARCHA PARA O CAMPO

— Meninas, acordem. A sirene está tocando mais cedo hoje e temos de nos reunir lá fora.

Marta andava com ansiedade, de um lado para o outro, no centro do quarto. Ela parava de vez em quando para chacoalhar alguma menina que ainda dormia.

— O que foi agora? — Clara resmungou, esfregando os olhos cansados. — Por que já tenho de levantar?

Clara estava exausta. Certamente haviam se passado apenas alguns minutos desde que conseguira dormir. E, naquele momento, as sirenes sem compaixão e as ordens persistentes de Marta diziam que ela devia se levantar.

— Por quê? O que há de errado, Marta?

— Alguém está em apuros?

— Alguém está doente?

— O que está acontecendo?

Uma a uma, as meninas se esforçaram para abrir os olhos. O medo estava presente em suas perguntas. Por mais que Clara detestasse as rotinas mundanas e diárias, uma mudança nelas geralmente significava problema, e todos queriam evitar problemas. Por que os guardas os estavam fazendo acordar mais cedo do que o normal? Por que tinham de sair imediatamente?

— Estão dizendo que alguns prisioneiros fugiram do gueto. Os guardas estão furiosos e insistem em fazer uma contagem precisa de todos os habitantes de Terezin. Agora, meninas, por favor, parem de fazer perguntas. Levantem-se rapidamente e façam uma fila na porta quando estiverem prontas, para sairmos juntas.

Jacob! Clara deve ter soltado um suspiro alto porque várias meninas olharam curiosas na sua direção. A imagem de Jacob saindo do barracão Magdeburg ainda estava viva na sua mente.

Do lado de fora, na chuva, milhares de pessoas já estavam reunidas.

— Fiquem em fila! — os guardas gritavam com seus rifles em posição. — Parem de conversar e andem!

Crianças ainda sonolentas e mulheres e homens idosos e frágeis eram empurrados com grosseria. Clara esticou o pescoço em todas as direções, procurando por alguém que pudesse lhe contar alguma coisa, qualquer coisa. Mas não havia ninguém conhecido por perto, nem seus pais, nem Peter e, é claro, nem Jacob.

— Tentem ficar juntas — Marta falou quando Clara segurou na mão de Hanna.

Os guardas os estavam levando adiante, gritando para que andassem rápido. Para piorar a situação, estava frio e uma garoa fina estava deixando a estrada lamacenta e perigosa. Por toda parte, adultos e crianças escorregavam, caíam e eram levantados e arrastados por quem estava por perto. Embora estivesse frio, Clara podia sentir o suor escorrendo pelas suas costas enquanto apertava o passo para acompanhar o seu grupo.

Ela não conseguia parar de pensar em Jacob. Onde ele estaria àquela hora? Estaria a salvo? Teria sido pego? As perguntas giravam em sua cabeça.

— Clara! — uma voz a chamou, vindo de trás dela.

— Peter! — ela estava muito aliviada por ver seu irmão. — Você sabe alguma coisa sobre o que está acontecendo?

Peter balançou a cabeça e tossiu alto.

— Não muito. O líder do meu dormitório diz que estamos sendo levados para um terreno atrás de Bohusovice, onde fica a estação de trem. É onde os soldados irão nos contar. Eles parecem achar que algumas pessoas sumiram.

A gripe de Peter não estava curada e ele parecia mais fraco ainda. Clara olhava nervosa para o seu irmão. Papai havia dado a Peter todos os remédios que tinha, sem sucesso, e aquela umidade era a pior coisa do mundo para ele.

— Mas, Peter, há milhares e milhares de prisioneiros aqui. Como os soldados conseguirão contar todos?

Peter encolheu os ombros, mastigando sua manga nervosamente.

— Acho que é por isso que eles precisam de um grande terreno para nos colocar.

— Eles sabem alguma coisa das pessoas que escaparam? — perguntou Hanna, que os havia alcançado.

Peter negou com a cabeça.

Eles continuaram andando, ultrapassaram os muros que cercavam a cidade, passaram sobre a ponte e andaram pela estrada sinuosa em direção à estrada de ferro, refazendo o caminho que trouxera Clara para dentro do gueto. E ainda não havia nem sinal de Jacob. Ela não podia dizer nada a Hanna nem a Peter, não podia contar a ninguém o que sabia sobre o plano de Jacob. Isso o colocaria ainda mais em perigo, sem falar no problema que causaria a ela. Clara precisava descobrir o que estava acontecendo sem contar nada do que sabia.

Clara e os outros por fim chegaram ao terreno além da estação, onde mais soldados esperavam, gritando para a multidão que andasse rápido.

— Formem filas de dez para a contagem — um guarda gritou, balançando um bastão ao seu lado. — Silêncio! Parem de falar! Formem as filas, rápido!

Hanna gritou quando o guarda a empurrou rudemente para uma fila.

— Eu disse para formarem filas!

Os prisioneiros fizeram o melhor que podiam para se enfileirarem enquanto os soldados andavam entre eles, contando. Mas, com tantas pessoas, era impossível a contagem ser precisa. Todas as vezes que os soldados viravam para o outro lado, algumas pessoas saíam das filas procurando parentes. Clara não via seus pais, mas, pelo menos, ela sabia que seu irmão e as colegas de quarto estavam por perto.

Os soldados marchavam para frente e ao longo das filas, balançando seus bastões e apontando seus rifles. Contaram de novo e de novo, gritando para que os prisioneiros ficassem em silêncio. Fizeram essa contagem mais de quinze vezes, mas ainda não estavam satisfeitos. Eles terminavam de examinar as filas e se afastavam somente para voltar minutos depois e ordenar que todos formassem as filas novamente. Passaram-se horas e não havia sinal de retorno ao gueto. A fome apertava e corroía o estômago de Clara e ela ansiava por comida e água. À sua volta, prisioneiros cansados caíam no chão, incapazes de permanecer em pé. E, por fim, Clara também afundou na grama e ficou olhando a névoa para além das árvores a distância.

Estava escurecendo e ficando frio novamente e todos estavam encharcados. De repente, Clara percebeu que haviam ficado naquele terreno o dia inteiro. Ela tentou ver mais adiante dos limites do terreno, conforme os sons ao seu redor iam diminuindo. Jacob estava lá fora? Ele estava livre de Terezin? Clara se perguntava qual seria a sensação de escapar daquele lugar e passear livremente pelo bosque. Em algum lugar ao longe, havia camas confortáveis, roupas limpas e banhos quentes. Ela voltaria a ter esses confortos? Ela voltaria a ser livre?

— Quero voltar para o nosso quarto — Hanna choramingou.

Clara deu uma risadinha.

— Preste atenção ao que você está dizendo. Você realmente quer voltar para o gueto?

Não fazia sentido eles viverem daquela maneira, mas, nos dormitórios, voltariam a se aquecer. O calor era melhor do que o frio, o frio era melhor do que a fome, a fome era melhor do que estar longe dos pais. E estar em Terezin, era melhor do que estar lá fora. O mundo estava de ponta cabeça e nada mais fazia sentido. Parecia normal aprisionarem sua família e seus amigos, e por outro lado, as pessoas eram punidas se tentassem ajudar. O errado era certo e o certo era errado. Era impossível até mesmo pensar no futuro porque ninguém sabia se teria um. Todos os prisioneiros de Terezin viviam um dia de cada vez e, assim, Clara ficou sentada no chão, tentando passar por mais uma provação enquanto, ao seu redor, a contagem continuava.

Clara nunca soube quem finalmente deu ordens para que eles voltassem ao gueto, mas, como uma grande onda que se move do mar para a areia, uma enxurrada de pessoas começou, de repente, a vagar na direção da cidade, arrastando-se pelo ar frio da noite. Hanna agarrou o braço de Clara e ela, por sua vez, puxou Peter para levantá-lo, antes de serem esmagados pela massa. Segundos depois, Clara foi arrastada, seus pés mal tocavam o chão enquanto a multidão a empurrava para frente. Crianças choravam por terem se perdido de seus líderes, homens e mulheres de idade caíam, incapazes de manterem o ritmo dos outros. Os prisioneiros receberam ordens para pegarem os idosos e os arrastarem de volta para o gueto. Clara estava apavorada. De alguma maneira, ela e as suas amigas conseguiram ficar juntas e voltaram para o seu prédio. Era quase meia-noite.

Antes de entrarem, Clara avistou Peter aproximando-se do dormitório dos meninos. Ela correu até ele. Quando o abraçou, pôde senti-lo tremer. Ele estava quente e com febre e prometeu que tentaria achar o papai de manhã para pedir mais remédios. Por ora, Clara achava que aquilo de que todos mais precisavam era dormir. Peter subiu as escadas lentamente, parecendo doente e triste.

Clara estava muito cansada para pensar em qualquer coisa. Ela e Hanna entraram em seu quarto e caíram nas camas. Uma a uma, as meninas voltaram, os rostos pálidos anestesiados pelos eventos do dia. Ninguém se preocupou em se despir e ninguém falou uma só palavra.

No dia seguinte, a sirene soou no horário de sempre e Clara voltou à sua rotina. Ninguém falou muito sobre a marcha para o terreno, não havia motivo para alongar-se no assunto. Para sobreviver em Terezin, era preciso passar por um dia de cada vez. Naquele dia, oito meninas do quarto de Clara receberam ordens de deportação. Os documentos amarelos, bastante familiares, as esperavam quando voltaram do café da manhã.

Os soldados nunca conseguiram descobrir quantos prisioneiros havia em Terezin. Centenas de pessoas morreram na marcha para o terreno. Nas duas semanas seguintes, todos tiveram de andar em fila pelas ruas e ninguém podia sair depois das seis da tarde. Após duas semanas, o toque de recolher foi suspenso. Uma apresentação de *Brundibár* estava agendada e Clara e o restante do elenco voltaram para os seus papéis.

Ela nunca soube o que havia acontecido a Jacob e seus amigos. A fuga não foi anunciada oficialmente. Naquele meio tempo, outro menino o substituiu como o policial, para que a ópera continuasse e, todos os dias, Clara rezava para que Jacob estivesse seguro e livre.

24

PETER

Duas semanas se passaram e a infecção no peito de Peter não ia embora. Não importava o que papai fizesse, ele parecia ficar cada vez mais doente.

— Papai vai levar o Peter para o hospital hoje — mamãe sussurrou, certa manhã na fila para a comida, ao despejar o café fraco na xícara de Clara. — Não é apenas para o bem de Peter, mas também temos medo de que outras crianças do seu quarto fiquem doentes.

Clara sabia que infecções podiam se espalhar rapidamente. Um dia, uma pessoa ficava doente e, antes que alguém percebesse, todas as outras pessoas do quarto também ficavam.

— Ele vai ficar bem, não é, mamãe? — Clara perguntou.

Mamãe hesitou antes de responder:

— Papai está fazendo tudo o que pode. Veja como eu fiquei bem sob os cuidados dele. Mas Peter precisa das nossas orações, Clarichka.

Ela falava com tanta incerteza que Clara ficou com medo. Assim que pôde, esgueirou-se até o hospital para ver Peter. Entrar em um hospital não era novidade para Clara, ela havia visitado a clínica do seu pai em Praga muitas vezes e visto pessoas doentes ou com dor. Em Terezin, ela conhecia o hospital por causa da doença da sua mãe. Mas, daquela vez, quando Clara entrou na clínica, ela sabia que era diferente.

Assim que passou pela porta do hospital, ficou atordoada com o cheiro de doença e morte. O lugar estava cheio de beliches, ocupados por homens e mulheres idosos, muitos deles gemendo baixinho. Pareciam estar se acabando, as bochechas afundadas e os olhos fundos e vazios. Clara congelou em total terror, olhando a cena à sua frente.

— Clara — disse uma enfermeira que a reconheceu.

Ela gentilmente pegou Clara pelo braço e guiou-a para uma porta nos fundos.

— Peter está na ala de isolamento. Seu pai está com ele agora e você não pode entrar. Há um risco muito grande de a infecção se espalhar, mas você pode vê-lo por esta janela.

— O que... o que há com todas estas pessoas? — Clara perguntou, fazendo um gesto na direção do salão principal. — Quero dizer, todas parecem estar morrendo.

— As pessoas nesse salão estão muito doentes e há pouco o que possamos fazer para ajudá-las. Apenas tentamos mantê-las em conforto nos seus últimos dias.

A enfermeira correu para ver um paciente que havia gritado de repente. Clara aproximou-se da janela para ver o irmão. Ela ainda estava abalada pelo que havia visto e a imagem de Peter em um leito de hospital não ajudou a melhorar.

Clara soltou um suspiro ao pressionar as mãos e o rosto contra a pequena janela de vidro que a separava da ala de isolamento. Peter tinha uma aparência péssima! Ela não tinha ideia do quanto ele estava doente. A doença desgastou o seu corpo já magro e ele parecia encolhido e consumido. Somente suas bochechas brilhavam por causa da febre que persistia. Clara via o peito de Peter subir e descer rapidamente, movimentos superficiais, como se cada suspiro fosse doloroso e cansativo. Papai inclinou-se sobre seu filho, sentindo seu pulso e assistindo à sua dificuldade para respirar. De repente, o pequeno corpo de Peter estremeceu em um espasmo de tosse. Sua cabeça foi sacudida com violência e seus braços se debateram enquanto ele lutava para conseguir ar. Papai e as enfermeiras avançaram para segurar sua cabeça para cima e facilitar a respiração. Minutos agonizantes se passaram até que o espasmo de tosse finalmente acabar e o corpo enfraquecido de Peter caiu de volta na cama. Clara aproximou ainda mais o rosto da janela, esforçando-se para ver o movimento no peito de Peter. Cada inspiração parecia menor e mais dolorosa que a anterior.

Clara virou-se e saiu correndo da enfermaria. Ela tinha de ir para longe, muito longe. Era um pesadelo e ela precisava escapar. Não havia mais ninguém para ajudá-la. Jacob havia ido embora e, ainda que Clara tivesse esperanças de que ele estivesse a salvo, ela o quis de volta naquele momento, em um instante de egoísmo. Mamãe e papai já estavam preocupados demais e, além disso, Peter precisava muito deles. Clara correu pelas ruas de Terezin, esquivando-se de um lado e de outro, cega pelas lágrimas que corriam de seus olhos. Ela nem ligava para a possibilidade de esbarrar em um guarda. Ela queria liberdade. Ela queria paz para os seus pensamentos. Ela queria se sentir segura novamente. Mas ela não encontrou nenhuma dessas coisas e acabou parando na frente do hospital novamente.

Mamãe estava lá dentro com Peter, sentada ao lado dele na cama, segurando a sua mão. Embora houvesse o risco de infecção, sua mãe precisava ficar perto do filho, seu caçula. Pelo vidro, Clara esforçou-se para ouvir o que ela estava dizendo para Peter.

— Era uma vez, em um lugar distante, uma família de vaga-lumes. Durante o dia, eles dormiam dentro da sua casa em uma árvore da floresta. Mas, à noite, eles saíam e voavam pelos bosques com outros vaga-lumes que viviam com eles. E eles iluminavam o céu da noite com o seu brilho...

Era a história favorita de Peter. Clara mal notou que papai havia parado ao seu lado, até sentir o braço dele sobre o seu ombro.

— Há coisas que eu não consigo consertar, Clara.

Clara olhou para o seu pai. Ele parecia arrasado. A força com que Clara sempre contara parecia ter desaparecido. Papai não conseguia mais proteger sua família.

Dentro do quarto, o peito de Peter subia e descia com dificuldade e o espaço entre cada inspiração ficava cada vez maior. Por fim, Clara viu sua mãe levantar o corpo fraco de Peter nos braços e, assim, ela entendeu que ele havia partido.

Ela não chorou mais, as lágrimas pareciam ter secado dentro de seu corpo. Ela apenas observou enquanto a mãe continuava embalando Peter em seus braços e sussurrando sua história favorita no ouvido. Finalmente, as enfermeiras e os ajudantes se aproximaram, o trabalho deles era remover os corpos do hospital. A mãe beijou o rosto de Peter pela última vez e o soltou.

No dia seguinte, Clara, mamãe e papai entraram na fila que seguia os carrinhos pelas ruas de Terezin. Os carrinhos levavam os corpos daqueles que haviam morrido. Peter era um entre dezenas naquele dia. Hanna caminhava com Clara, segurando sua mão. No muro do gueto, a fila parou e os carrinhos foram empurrados para fora, na direção do cemitério. As pessoas de luto só podiam ir até ali. Enquanto Clara observava os carrinhos passarem pelos portões do gueto, não pôde deixar de pensar que Peter, assim como Jacob, estava enfim do lado de fora. E, com sorte, como Jacob, o espírito de Peter estava livre então.

25

HANNA

Clara ficou atordoada durante semanas, depois da morte de Peter. Era como se o pouco de esperança que ela ainda guardasse, tivesse sido completamente destruído. Nem mesmo os rumores do final da guerra conseguiam melhorar o abatimento de Clara.

— Clara, as notícias são fantásticas! — Marta contou para ela certo dia, enquanto caminhavam para pegar comida.

Clara parecia mais magra do que antes, seu apetite estava tão deprimido quanto o seu humor. Marta tentou animá-la.

— A Bélgica e a Holanda estão quase conquistando a França — ela continuou. — Os americanos subiram os Alpes e entraram na Itália, e a Rússia está indo em direção à Eslováquia. O exército alemão está sendo cercado e, nesse ritmo, a guerra pode acabar antes que a gente perceba.

— De onde vêm esses rumores? — Clara perguntou, sem acreditar. — Por que devemos acreditar em qualquer coisa que ouvimos nestes dias?

— Olha, não estou dizendo que tudo o que ouvimos é verdade, mas há muitas notícias positivas para ignorarmos. Alguns prisioneiros recém-chegados conseguiram contrabandear rádios. Assim, notícias como essas são ouvidas quase todo dia.

— Bem, ainda não acredito nelas — Clara respondeu, olhando para o chão.

Depois de tudo o que havia acontecido, ela não conseguia acreditar naquelas notícias.

— Clara, olhe ao seu redor. As pessoas estão sorrindo mais, atualmente. Elas realmente parecem felizes, elas podem sentir que a situação está mudando. Você tem de sentir também.

— Volte a falar comigo quando os muros forem derrubados e nós pudermos sair daqui. Começarei a sorrir quando aqueles guardas ali, não estiverem apontando armas para o meu rosto.

Clara já estava presa em Terezin havia um ano e meio e, naquele tempo, tinha perdido muitas coisas preciosas para ela. A vida ainda seria igual? Mesmo sem querer, ela pensava como seria sair de Terezin. Clara se imaginava voltando para a sua casa, onde sonhava que seu quarto estaria esperando por ela, intocado pelo tempo que se passou. Qual seria a sensação de dormir em uma cama limpa, comer o quanto quisesse e viver com seus pais novamente? Talvez Marta tivesse razão, ainda houvesse esperança no futuro. A possibilidade de ser livre, de repente, parecia mais real. Terezin era como uma montanha russa, coisas boas e ruins, esperança e horror, triunfo e tragédia. Em um instante, você estava bem, no seguinte, mergulhava no desespero.

Enquanto isso, mais e mais transportes seguiam para o leste. Alguns diziam que os nazistas estavam tentando limpar o gueto, para remover as evidências de que ele havia existido. Qualquer que fosse o motivo, a cada semana, milhares de prisioneiros eram chamados ao barracão Hamburg, aonde todos os que seriam deportados deviam ir. Carregando uma pequena mala com poucos pertences, eles partiam em trens para os temidos destinos ao leste. Quando as ordens de deportação eram anunciadas, os prisioneiros prendiam a respiração, rezando para não estarem entre aqueles convocados para partirem.

Certo dia, o nome de Hanna estava na lista e ela recebeu ordens para se apresentar no barracão Hamburg, de onde seguiria para o próximo transporte que deixaria Terezin.

— Você precisa apelar dessa decisão, Hanna. Você pode fazer uma solicitação para que a sua deportação seja adiada. Eu sei que pode. Lembra, a família da Monica fez a mesma coisa há alguns meses e deu certo, eles não receberam novas ordens de deportação.

Clara estava sentada com a sua amiga no pátio do dormitório, sentindo--se mal por causa da notícia e recusando-se a aceitá-la.

— Isso foi há muito tempo, Clara — Hanna respondeu. — Além disso, o pai da Monica era um líder importante em Praga. Mas as ordens são diferentes agora. Os perdões eram possíveis naquela época, mas não são mais. Qualquer um que receba a ordem deve ir. É assim que funciona.

— Quando você tem que ir? — Clara perguntou de cabeça baixa, olhando para o chão.

— Daqui a dois dias — respondeu Hanna. — Não tenho muito tempo para me preparar. De qualquer forma — ela disse com uma risadinha —, não há muito para arrumar, não é?

— Talvez o lugar para onde você vai não seja tão ruim — Clara sussurrou.

Seu comentário ficou pairando pesadamente no ar.

Clara queria gritar e chorar, mas não podia mostrar para sua amiga o quanto ela realmente estava assustada. Por que Hanna havia sido selecionada para ir e Clara, não? O que fazia Clara ser especial? Ela lembrou-se de sua conversa com Jacob, quando ele havia lhe perguntado se ela acreditava em destino. Tudo isso simplesmente porque Clara tinha sorte?

No dia seguinte, Clara ficou sentada, observando enquanto Hanna se preparava. Perto dela, Clara tentava ficar calma. Hanna tinha uma atitude positiva e estava quase otimista. Era quase como se ela estivesse sendo forte para consolar Clara.

— Pare de fazer essa cara triste, Clara — disse Hanna, enquanto dobrava suas roupas e as guardava na mala.

Clara lembrou-se do dia em que elas haviam chegado juntas e puxado aquela mesma mala para o beliche mais alto daquele mesmo quarto. Elas dormiram uma ao lado da outra por um ano e meio

— Vou procurá-la quando esta guerra acabar e acho que será antes do que nós duas esperamos.

A confiança repentina de Hanna era impressionante. Clara perguntou-se se ela própria conseguiria ficar tão calma se estivesse no lugar de Hanna.

— Pelo menos vou com meus pais — Hanna continuou. — Você se lembra de quando os avós da Eva foram obrigados a partir sem o resto da família? Isso seria pior do que qualquer outra coisa.

Hanna remexeu embaixo do seu colchão e, por fim, tirou de lá uma pedra de cristal.

— Pegue isto — ela disse, puxando o braço de Clara em sua direção e colocando a pedra na palma da mão dela. — Eu a trouxe comigo quando vim para Terezin e, de alguma forma, os guardas nunca a encontraram na minha mala. É somente uma pequena rocha, mas sempre amei a cor desta pedra e a imaginei como um amuleto. Quero que você fique com ela.

A pedra era um quartzo comum, do tipo que Clara encontraria em qualquer campo perto de casa. No entanto, ela fora polida e alisada. Brilhava em um rosa fraco que era refletido no teto do quarto. Clara ficou tão emocionada que não conseguiu falar por alguns instantes.

— Hanna — ela acabou por dizer —, você tem de ficar com isto. É linda, mas não posso aceitá-la. Quero dizer, você precisa de sorte, aonde quer que você esteja indo.

— Não — respondeu Hanna com firmeza —, é para você. Leve-a quando nos encontrarmos novamente, você me mostrará que cuidou bem dela.

Clara deu um abraço apertado em Hanna, piscando para tentar segurar as lágrimas quentes que ameaçavam jorrar de seus olhos.

As duas meninas ficaram acordadas até tarde, conversando em voz baixa. Era importante passarem o máximo de tempo juntas, para se apegarem àqueles momentos e guardá-los para usar como combustível nos próximos tempos.

26

ADEUS A HANNA

A manhã chegou rápido demais e, com ela, a hora de Hanna partir. O dia estava cinza e carregado de nuvens. Gotas frias de chuva caíam sobre o gueto, formando poças nas ruas. A tristeza do dia combinava com a angústia no coração de Clara enquanto ela caminhava com sua amiga na direção da estação de trem.

Mamãe havia avisado Clara que não fosse com Hanna ao depósito. Era muito perigoso. Quem estivesse vagando nas proximidades dos trens poderia ser pego pelos guardas e jogado para dentro do vagão no último minuto. Mas, daquela vez, Clara desobedeceu a seus pais. Nada a manteria longe de lá. Se Hanna iria enfrentar a deportação, o mínimo que Clara podia fazer era ficar ao lado dela. As gotas de chuva escorriam pelo rosto de Clara, escondendo as lágrimas reais que caíam de seus olhos. Ela estava quieta e triste, enquanto Hanna não parava de conversar.

— Pelo menos a chuva deixará os vagões mais frescos. Lembra-se de como estava quente dentro do trem quando chegamos aqui? Em Terezin, nunca sei o que é pior, o calor ou o frio. Pessoalmente, acho o frio pior. Quando meus pés ficam frios, nada consegue me aquecer. E, então, o meu corpo todo fica frio e eu me sinto muito mal.

Ela continuou divagando. Suas palavras pareciam as gotas de chuva, jorrando dela em um fluxo sem fim. Clara tremeu por conta do frio, conforme se aproximava da estação, e viu a multidão que já se reunia lá.

Hanna avançou rapidamente para se reunir à sua família. Curiosamente, não havia tensão no ar, quase como se a multidão aceitasse o fato de estar partindo, e a ansiedade fosse somente piorar a situação. Ou, talvez, os adultos estivessem apenas tentando se mostrar calmos e corajosos por causa de seus filhos. Qualquer que fosse o motivo, Clara achou estranho ver as longas filas de pessoas movendo-se com lentidão e silêncio para os trens que as aguardavam. Ela era a única que sentia vontade de gritar? Seu coração batia com tanta força que ela teve certeza de que as pessoas ao redor podiam ouvi-lo. E, ainda assim, ela também tinha de se mostrar calma. Pelo bem da sua amiga, Clara tinha de ser corajosa.

Ela ficou ao lado de Hanna e sua família e caminhou com eles, passo a passo, enquanto os guardas dirigiam as famílias para os vagões de carga abertos. Finalmente, Clara não podia mais se demorar. Ela se virou para Hanna e elas se jogaram uma nos braços da outra, em um abraço apertado. Hanna havia sido a irmã de Clara, sua alma gêmea, sua confidente e sua amiga. Elas haviam compartilhado tantos momentos difíceis em Terezin e tantos momentos maravilhosos também. Haviam chorado juntas e dado risada juntas sempre que puderam. Clara queria desesperadamente dizer a Hanna que tudo ficaria bem. Mas não podia.

— Adeus, Hanna. Vou sentir sua falta mais do que você pode imaginar.

— Espero que você consiga uma colega de quarto legal para ocupar o meu lugar.

— Ninguém nunca vai ocupar o seu lugar. Eu guardei um pouco de pão para você.

Clara forçou a passagem dos pedaços de pão para as mãos de Hanna, enquanto os guardas passavam entre elas para empurrar as famílias para frente. Hanna virou-se várias vezes para acenar. Clara correu para conseguir um lugar perto das cordas nos limites da estação. Por um momento, perdeu a amiga de vista e começou a procurar, com um olhar frenético, nos vagões, desesperada para vê-la uma última vez. De repente, ela a viu na janela à sua frente. Hanna continuou acenando e gritando o nome da amiga, enquanto Clara só conseguia ficar parada olhando para ela.

O trem não perdeu tempo para partir. Lentamente, ele soltou fumaça e apitou enquanto saía da estação, e Clara ficava lá, acenando. "Seja forte", ela pensou. "Seja forte e reze todos os dias para que nós nos vejamos novamente, como eu rezarei por você". Clara ficou com a mão levantada acima da cabeça até que a última nuvem de fumaça do trem desaparecesse no céu.

27

UM NOVO COMEÇO

— Com licença, este é o quarto seis?

Uma voz baixinha interrompeu os pensamentos de Clara. Ela olhou de cima do seu beliche e viu uma menina mais ou menos da sua idade na porta do dormitório. Clara concordou com a cabeça.

— Sou nova aqui. O trem acabou de chegar e me disseram para vir para o quarto de número seis. Meus pais foram para outro lugar, não tenho certeza onde.

A menina mordeu o seu lábio inferior, que tremia, esforçando-se para não chorar. A expressão em seu rosto era muito familiar para Clara.

— Não se preocupe — disse Clara —, tenho certeza de que ficarão bem. Eles ficarão em um quarto em outro lugar, mas você provavelmente poderá vê-los depois. Você está no lugar certo. Meu nome é Clara.

— Eu sou a Margaret — a menina respondeu, aliviada com a informação sobre sua família. — Tudo é tão assustador aqui e não tenho certeza do que preciso fazer.

Lentamente, Clara desceu do seu beliche e aproximou-se da menina nova.

— Bem, Margaret, a primeira coisa que você precisa fazer é encontrar uma cama e desfazer suas malas. Há uma cama vazia perto da minha. Se quiser, posso ajudá-la a colocar suas coisas aqui em cima.

Margaret sorriu e apertou com gratidão a mão que Clara lhe estendia.

— Certo, obrigada. Será ótimo ter a sua ajuda.

Juntas, elas puxaram a mala escada acima, até a cama que pertencera a Hanna.

Clara conversou com Margaret sobre o gueto e suas regras. Ela contou sobre as filas para pegar comida, os toques de recolher e como evitar os guardas perigosos. Ela alertou Margaret sobre o frio, o calor e os insetos. Também contou a ela sobre os professores e as outras meninas do quarto. Clara falou sem parar, sabendo que, de alguma forma, ela estava ajudando a menina a se adaptar, mesmo que um pouco, como Jacob a havia ajudado no dia em que ela chegou. Clara não contou a Margaret sobre os transportes. Ela ficaria sabendo a respeito em pouco tempo, não havia motivo para assustá-la mais naquele momento.

— Margaret, por um acaso você canta? — Clara perguntou.

— Ah, eu amo cantar — ela respondeu e, por um momento, seu rosto pareceu se iluminar com as memórias. — Eu fazia parte de um coral de meninas em Amsterdã.

— Apresentamos uma ópera aqui chamada *Brundibár*. E eu sei que há alguns papéis vagos. Se quiser, pode vir comigo hoje à noite para fazer um teste.

— Uma ópera! Você quer dizer, uma apresentação de verdade? Aqui? Mas como é possível?

Por um momento, Clara não soube responder. Como ela poderia explicar a Margaret que, em meio aos horrores do gueto, também pudesse haver um pouco de felicidade? *Brundibár* havia dado a ela esperança e ajudado a diminuir seus medos. Mesmo que por períodos curtos, a ópera a havia auxiliado a superar a fome, a solidão e o desespero. Hanna e Jacob também sentiram o quanto ela era real e inspiradora. Mas eles haviam ido embora e Peter também, deixando uma dor no coração de Clara. Ainda assim, ela sabia que, independentemente do que o futuro reservasse, ela encontraria coragem nas coisas ao seu redor, como seus amigos.

Clara esfregou um pequeno cristal rosa em suas mãos ao responder para Margaret:

— Ah, você ficaria impressionada com o que é possível... Mesmo em Terezin.

FIM

Epílogo

Em 8 de maio de 1945, tanques russos rodaram pelas ruas de Terezin indicando o final da guerra e a derrota dos nazistas. Os poucos prisioneiros judeus que ainda viviam no gueto rastejaram para fora de seus quartos cuidadosamente, com medo de acreditar que estavam livres. Mas logo eles se juntaram para aplaudir e acenar, percebendo que haviam sobrevivido à guerra. Entre eles, estavam Clara e seus pais.

Clara quase havia deixado de esperar que aquele dia chegasse. Embora as notícias, que enchiam o gueto, mostrassem claramente que os nazistas estavam sendo derrotados, isso quase não era importante no seu dia a dia. Os transportes continuavam a partir para o leste, com quantidades maiores de judeus dentro. E, por mais agradecida que estivesse por seu nome não estar nas listas de deportação, Clara perguntava-se por que ela e os pais estavam sendo poupados. Seu coração não parava de doer, ele doía por Peter e Jacob e Hanna e todos os outros que haviam morrido ou sido enviados para o leste. O dia em que os tanques russos entraram em Terezin foi um dia doloroso e alegre para Clara.

Os prisioneiros levaram várias semanas até conseguirem organizar transportes de volta para suas cidades. Clara e seus pais finalmente encontraram um caminhão que ia para Praga. Assim, eles também partiram e voltaram para casa, começando a juntar os pedaços das suas vidas.

Clara tinha então quinze anos e havia sido prisioneira em Terezin por dois anos e dois meses. O apartamento deles fora tomado por uma família tcheca, que tinha se mudado para lá e reivindicado todos os pertences que Clara e sua família deixaram para trás. Por isso, a primeira tarefa foi encontrar um novo lugar para morar. Uma organização que trabalhava com os judeus que estavam voltando, conseguiu encontrar um apartamento para eles. Papai conseguiu um emprego em um dos hospitais e mamãe, na livraria. Clara voltou para a escola e percebeu que, graças aos professores que teve em Terezin, quase não estava atrasada nas matérias.

A procura por amigos e parentes também era muito importante. Todos os dias, centenas de bilhetes eram colocados nos quadros de avisos de prédios de escritórios da cidade. Os bilhetes perguntavam se alguém havia visto esta ou aquela pessoa ou sabia o destino de uma determinada família. Até mesmo os tanques russos no centro da cidade estavam cobertos de mensagens.

Diariamente, depois da aula, Clara passava por esses prédios, deixando seus próprios bilhetes e lendo os que estavam nas paredes. Nas semanas seguintes, sua família teve a felicidade de se reunir com muitos primos e amigos, mas cada reunião feliz trazia notícias trágicas de mais mortes. Certo dia, Clara leu uma resposta para uma das suas mensagens, que dizia que Hanna e sua família haviam sido vistas pela última vez em um campo de concentração chamado Auschwitz. Lá, haviam morrido, junto com centenas de milhares de famílias judias. Clara chorou durante dias, depois de receber essa notícia.

Em um determinado dia, muitas semanas depois de ter voltado a Praga, Clara aproximou-se da velha sinagoga perto do parque, onde ela havia passado boa parte da sua infância. A sinagoga estava fechada com tábuas e em um estado terrível. Suas paredes também estavam cobertas por mensagens, bilhetes desesperados implorando por informações. Com um longo suspiro, Clara começou a ler os mais recentes. Quase não estava prestando atenção no que lia quando, de repente, uma mensagem pareceu saltar aos seus olhos. Ela pegou o papel e o leu com as mãos trêmulas. Rapidamente, procurou em sua bolsa um pedaço de papel e um lápis. Suas mãos ainda estavam tremendo enquanto ela escrevia rapidamente uma resposta e a prendeu na parede. Depois, ela se virou e saiu andando, com certa alegria nos seus passos. Olhando o pedaço de papel em sua mão, ela leu novamente:

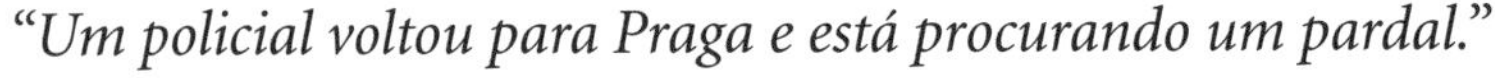

"Um policial voltou para Praga e está procurando um pardal."

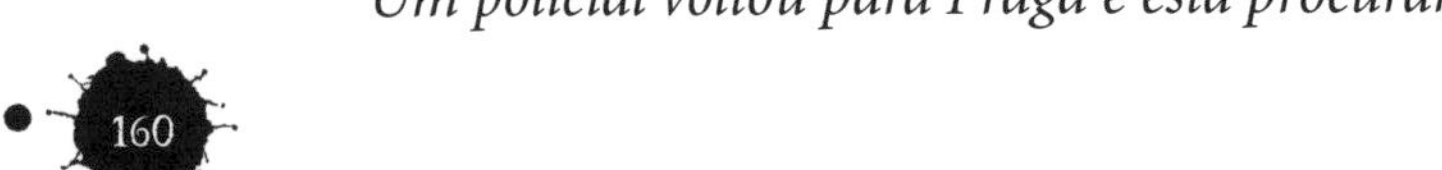

Nota da autora

Embora a maioria dos personagens de *A guerra de Clara* seja fictícia, a história acontece em um lugar e em um momento histórico reais. O livro é baseado em eventos reais.

Terezin era um lugar real e, durante a Segunda Guerra Mundial, funcionou como um campo de concentração. Lá, os judeus da Tchecoslováquia ficavam temporariamente abrigados antes de serem deportados para o leste, para campos de extermínio. Atualmente, Terezin é novamente uma cidade agradável. Desde 1991, existe um museu no prédio onde ficava o dormitório dos meninos.

O gueto era administrado dia a dia por um comitê, o Conselho de Anciãos Judeus. Jacob Edelstein foi um dos líderes desse conselho. O comitê era controlado por guardas tchecos, que patrulhavam o gueto e o controlavam sob o comando dos nazistas. Um dos oficiais nazistas mais cruéis de Terezin foi Rudolf Heindl, que eu incluí como guarda na história. Ele era conhecido pela sua brutalidade com os prisioneiros judeus.

As crianças, em Terezin, eram separadas de seus pais, no entanto, o processo de divisão em dormitórios era mais longo do que eu descrevi na minha história. Na verdade, crianças com menos de doze anos inicialmente ficavam com suas mães, enquanto os pais eram mandados para barracões separados. Somente depois de uma ou duas semanas, as crianças eram levadas, primeiramente para quartos longe de seus pais e, depois, para dormitórios separados. Da mesma maneira, levava algum tempo para os trabalhos serem designados aos adultos. É improvável que uma mulher como a mãe de Clara fosse designada para o trabalho na cozinha tão rapidamente. Trabalhar na fila para a comida era uma posição cobiçada, já que era o lugar onde porções a mais de alimentos poderiam ser distribuídas, se a pessoa tivesse cuidado.

Quase não se sabe de fugas do gueto, mas algumas (bem-sucedidas) aconteceram. Aqueles que tentavam e acabavam pegos eram enforcados ou levavam tiros na frente dos outros. Em novembro de 1943, depois de uma dessas tentativas de fuga, houve uma marcha forçada para fora do gueto, em direção a um terreno próximo, para que os prisioneiros de Terezin fossem contados. Muitas pessoas morreram de frio ou exaustão ou pisoteadas na pressa para voltar ao gueto. A cronologia desta história coloca esse evento em uma data mais tardia.

As crianças de Terezin recebiam aulas secretas dos seus líderes de dormitório e de artistas, matemáticos e historiadores conhecidos. Depois da guerra, uma coleção de desenhos, pinturas e poemas feitos pelas crianças, que estavam escondidos em Terezin, foi descoberta. Partes dessa coleção podem ser vistas atualmente em museus de Israel, da República Tcheca e dos Estados Unidos. Friedl Dicker-Brandeis era uma das artistas e professoras mais famosas. Ela foi mandada para Terezin em dezembro de 1942 e sentiu que era sua missão ajudar as crianças a lidarem com o caos do gueto, oferecendo a elas uma forma de expressão artística.

Uma revista secreta chamada *Vedem*, publicada por meninos mais velhos do dormitório dos garotos, foi outra forma de expressão artística. Uma cópia da revista era escrita à mão semanalmente por mais de dois anos e lida em voz alta nas reuniões dos dormitórios. A revista trazia poesias, observações sobre a vida no gueto, ensaios e arte. Havia críticas de programas culturais regularmente, inclusive uma crítica de *Brundibár*, a ópera apresentada por crianças do gueto.

Durante a Segunda Guerra Mundial, o gueto de Terezin tornou-se o lar temporário de alguns dos maiores artistas e músicos da Tchecoslováquia.

Hans Krása, o compositor de *Brundibár*, era um dos habitantes de Terezin naquela época, junto com Rudolf Freudenfeld, que dirigiu a ópera e conduziu a orquestra, e Frantisek Zelenka, que desenhou os cenários. Honza Treichlinger, um menino de quatorze anos de Terezin, conseguiu o papel do tocador de realejo. Ele se tornou uma espécie de celebridade no campo. Ele, assim como a maioria dos atores e músicos, acabaram sendo deportados para campos de concentração ao leste, onde foram mortos.

A ópera foi apresentada cinquenta e cinco vezes em Terezin, e durante a inspeção da Cruz Vermelha Internacional. Karl Rahm era o comandante nazista de Terezin na época da visita da Cruz Vermelha. Durante a inspeção, os alemães fizeram todo o possível para melhorar a aparência do campo. Plantaram grama e flores, levaram comida e roupas novas para os prisioneiros, esconderam os doentes e os velhos e apresentaram produções musicais elaboradas. Há uma história documentada de que um dos inspetores se aproximou de uma mulher judia durante a ronda para perguntar sobre as condições no gueto. Ela realmente mexeu os olhos, esperando que os visitantes fizessem mais perguntas, mas ninguém as fez. Assim que os inspetores foram embora, o campo voltou ao estado anterior e milhares de prisioneiros foram imediatamente deportados para Auschwitz. Auschwitz era o destino da maioria dos prisioneiros de Terezin, o mais conhecido campo de concentração, onde judeus eram sistematicamente mortos às centenas de milhares.

Com exceção das pessoas citadas acima, os personagens de *A guerra de Clara* são fictícios. Eles foram criados a partir de diversas fontes e conversas com pessoas que eram crianças e moravam em Terezin na época. Uma dessas pessoas é John Freund, sobrevivente de Terezin e, posteriormente, de Auschwitz. John era um garoto de cerca de doze anos quando foi mandado para Terezin. Embora ele mesmo nunca tenha se apresentado em *Brundibár*, viu várias apresentações acontecerem. Ele era amigo de muitas das crianças que faziam parte da ópera. Duas dessas pessoas estão vivas até hoje, Ella Stein, que fez o papel do gato, e Greta Hoffmeister, que fez Aninka.

Ouvi falar de *Brundibár* pela primeira vez quando minha filha teve a oportunidade de participar de uma versão em inglês da ópera. Ela fez o papel do cão. Achei impressionante que uma ópera tão simples e, ainda assim, tão bonita e significativa pudesse ser apresentada em meio à miséria e à tristeza do gueto de Terezin. Também achei incrível saber que, conforme as crianças eram deportadas para campos de extermínio, outras crianças eram chamadas no gueto para assumirem seus lugares na ópera. A ópera continuou sobrevivendo ao gueto. E resiste até hoje.